1등의 대화습관

1등의 대화습관

오수향 지음

책들의
정원

대화가 중요한 경쟁력인 시대에 대화법 전문가 오수향 교수가 뜻깊은 책을 냈다. 이 책은 자신을 업그레이드하는 것은 물론 소통 및 설득, 협상 노하우에 대한 다양한 콘텐츠를 담고 있다. 대화법에 관심이 많은 대학생, 취업 준비생, 직장인들에게 적극 추천한다.

- **배한성** (한국성우협회 자문위원 및 서울예술대학교 겸임교수)

말은 한 사람의 인격을 대변하는 만큼 각별히 신경을 써서 학습해야 한다. 안타깝게도 현재의 학교 교육은 대화법 학습에 많은 인력과 시간을 투자하지 못하는 실정이다. 오수향 교수의 책은 교육계는 물론 일반인들에게 매우 유익한 필독서임에 틀림이 없다.

- **김신일** (前 교육부 장관 및 교육부총리, 前 서울대 교수)

오수향 교수는 대화법 분야의 숨은 보석이다. 그에게는 항상 '강의 평가 만점', '강의 앙코르 쇄도', '최우수 강사'라는 명강사의 꼬리표가 따라붙는다. 이런 그가 이번에 1등의 대화습관을 책으로 냈다. 이 책 또한 독자들로부터 최고의 평가를 받지 않을까 한다.

- **김종표** (現 백석대 교육대학원 원장, 前 한국평생교육총연합회 회장)

이 책의 좋은 점은 시 한 편을 읽어 내려가는 것처럼 술술 잘 읽힌다는 점이다. 간단명료한 시의 구절처럼 장황하지 않고, 간단명료하지만 눈으로 마음으로 와 닿는 말이 쏙쏙 잘 표현되어 있다. 발표가 많은 학생들과 강의를 해야 하는 교·강사들에게 유익한 내용의 책이다.

- **이관희** (前 경찰대 학장, 前 한국헌법학회 회장)

방송에서는 말을 잘하는 사람이 필요하다. 아나운서뿐만 아니라 PD, MC, 개그맨, 탤런트 등 어느 하나도 말을 소홀히 할 수 없다. 이 책은 방송에 종사하는 모든 이에게 꼭 필요한 책이다.

- **황제연** (前 KBS 방송심의위원 및 <VJ특공대> PD)

이 책의 장점은 소설처럼 재밌게 읽을 수 있다는 점이다. 자신의 말에 고민이 있거나, 타인과의 대화 요령을 알고 싶은 이라면 누구나 제일 첫 번째로 이 책을 읽을 것이다.

- **이택림** (MC 및 방송인, KBS 라디오 <즐거운 저녁길 이택림입니다> 진행자)

당신의 대화습관에도
앙코르가 쏟아지기를

노래에는 음치가 있다. 말에도 '말치'가 있다. 자리에 맞지 않는 말로 분위기를 해치는 사람이 바로 말치다. 이들은 가끔 최신 유머나 유행어 따위를 외우기도 한다. 잘하면 노력했다는 소리는 들을지 모르겠으나 말 잘한다는 평은 받기 어렵다. 음치가 목청 높여 소리 지른다고 명창이 되는 것이 아니듯 말이다.

그렇다면 말을 잘한다는 것은 무엇일까? 발음이 또렷하면 말을 잘하는 것일까? 숨도 쉬지 않고 말할 수 있으면 말을 잘하는 것일까? 아니다. 마음을 울리는 힘이 있어야 말을 잘한다고 할 수 있다. 1등하는 사람의 말에는 남다른 힘이 있다. 국민 MC 유재석의 말에는 주말의 열기를 부르는 힘이 있다. 같은 MC라도 김구라는 다르다. 그의 직설적인 멘트가 가진 힘은 후련함이다. 그런가 하면 손석희 앵커의 질문은 날카로운 송곳을 품은 듯 냉철하다. 이들은 말 하나로 듣는 이의 마음을 흔든다. 가히 말의 1인자라 할 수 있다.

말은 그만큼 중요하다. 사회생활을 할 때 상대에게 나를 보여주기 위해서는 말을 잘해야 한다. 능숙하게 말하는 사람은 다른 사람에 비해 더 앞서간다고 볼 수 있다. 소통과 설득, 협상의 목적을 달성하기 위해서는 무엇보다 효율적인 대화법을 갖추어야 한다.

문제는 대화법을 갖춘 이들이 극소수에 불과하다는 점이다. 대다수는 어떻게 해야 대화를 잘할 수 있는지 모른다. 그래서 이들은 종종 말을 잘하는 사람을 보고 타고 나는 것으로 오해하는 경우가 있다. 그러면서 이렇게 자탄한다. '원래부터 말 못하는 사람은 고칠 수 없어.'

절대 그렇지 않다는 말씀을 드린다. 영화 〈킹스 스피치*The King's Speech*〉를 보면 알 수 있다. 제2차 세계대전이 벌어질 때 영국 왕위에 오른 조지 6세는 말을 심하게 더듬고 자꾸 말문이 막히는 증상이 있었다. 그래서 그의 연설은 대중에게 아무런 호응을 받지 못했다. 그런 그가 꾸준한 말하기 훈련 끝에 말더듬증을 극복할 수 있었다. 그는 독일을 겨냥해 당당히 선전포고를 할 정도로 뛰어난 방송 연설을 선보였다. 이 연설은 전 국민에게 감동을 주었고, 영국 국민이 결집하는 데 큰 효과를 발휘했다.

나 또한 그렇다. 지금이야 대화법 전문가로 널리 알려졌지만 처음부터 타고난 대화 능력을 가졌던 것은 결코 아니다. 나는 고등학교 시절 교과서를 읽다가 국어 선생님으로부터 칭찬을 받으면서 말하기에 자신감을 갖게 되었다. 이후 많은 시간 훈련을 거듭했고 시간이 갈수록 원래보다 더 나은 결과를 낼 수 있었다.

그런 끝에 나는 리포터로 선발되며 MC, 전문 강연자, 성우, 가수와 같은 길을 걸을 수 있게 되었다. 각종 콘서트와 행사 진행을 맡으며 말하기 능력은 더욱 좋아졌다. 여러 사람 앞에서 많은 말을 하고 숱한 시행착오를 거치다보니, 이제는 둘째가라면 서러울 정도로 능숙한 언변을 자랑하게 되었다. 이를 증명하듯 나의 대화법 강의는 '강의 평가 만점'을 받는 것은 물론 앙코르 쇄도가 비일비재하다. 요즘은 대학교, 교육청, 연수원, 기업체 등에서 대화법 강의를 전담하느라 눈코 뜰 새 없다.

나는 평범한 이들도 누구나 노력하면 대화 능력이 향상될 것이라고 생각한다. 이런 믿음으로 이번에 대화법 콘텐츠를 엮어《1등의 대화습관》을 냈다. 시중에는 말하기와 대화법 책이 수도 없이 많다. 그런데 대부분이 전문 서적이거나 학원 교재 아니면 번역서여서 일반인이 접근하기가 쉽지 않다.

이 책은 누구나 편히 이해할 수 있게 서술했다. 유명한 인물의 흥미로운 에피소드를 많이 들려주면서 핵심적인 대화 비법을 소개했다. 이를 순서대로 읽다보면 '나도 말을 잘할 수 있다'는 자신감이 저절로 들도록 배려했다.

이 책, 《1등의 대화습관》은 결코 특별한 이들을 위한 책이 아니다. 노력에 흘린 땀만큼 조금씩 성장해가는 수많은 보통 사람을 위해 쓰였다. 말이 바뀌면 인생이 달라질 수 있다고 믿고, 말하기 능력을 개선하고자 노력하는 바로 그들을 위해 쓰였다. 이 시간에도 자신의 앞날을 위해 분투하는 모든 사람에게 이 책을 바친다.

2022년 7월
오수향

Contents

추천의 말 / 4

Prologue – 당신의 대화습관에도 앙코르가 쏟아지기를 / 6

Chapter 01

1등과 2등의 차이는
말에서 나온다

:: 첫인상은 무엇으로 결정되는가 / 17

:: 논리가 생명이다 / 23

:: 나를 표현하는 스토리텔링 / 29

:: 말하기가 두렵게 느껴지는 이유 / 36

:: 끌리는 비언어로 무장하라 / 43

:: 말이 바뀌면 인생이 달라진다 / 49

:: 불가능을 가능으로 만들고 싶다면 / 55

Chapter 02

잘 들어주는 사람이
말도 잘한다

:: 묻고, 칭찬하고, 반응하라 / 65

:: 양보다 질이 먼저 / 72

:: 듣기만 해도 졸린 말의 비밀 / 78

:: 마음을 사로잡는 말은 따로 있다 / 84

:: 20분에 한 번은 웃겨라 / 91

:: 설득은 펀치로 시작해 터치로 끝난다 / 97

:: 어디서든 통하는 설득의 기술 / 103

:: 원하는 것을 얻어내는 협상의 노하우 / 110

:: 토론의 기본은 경청 / 116

Chapter 03

상대를 내 편으로 만드는
한 마디

:: 잘 잡은 키워드 하나가 열 마디보다 낫다 / 125

:: 3천900원짜리 도시락이 잘 팔리는 이유 / 131

:: 탄탄한 플롯에서 나오는 스토리텔링 / 137

:: 본질에 충실해야 통한다 / 144

:: '예스'를 부르는 반복의 힘 / 149

:: 가려운 곳을 정확히 긁어주는 질문 / 155

:: 득이 되는 대화를 싫어하는 사람은 없다 / 161

Chapter 04

콘텐츠의 깊이가
말의 깊이를 결정한다

:: 누구나 출발점은 똑같다 / 169

:: 무대에 오른 뮤지컬 배우처럼 / 175

:: 궁금하게 만들면 성공한 것이다 / 182

:: 누군가 내게 직업을 묻는다면 / 188

:: 인문학 습관이 최고의 자산 / 194

:: 어머니의 밥상 같은 한 마디 / 199

:: 대화의 기본은 KISS / 205

:: 참기름 바른 듯 반짝이는 비유 / 210

:: 웅변의 시대는 지나갔다 / 216

:: 펄떡이는 열정을 보여주어라 / 222

Chapter 05

좋은 목소리는
타고 나는 것이 아니다

:: 공명 목소리가 사람을 끌어당긴다 / 231

:: 귀를 사로잡는 존재감 – 이병헌이서진 / 237

:: 청춘이라면 투명한 바다처럼 – 송중기김수현 / 243

:: 끼 넘치는 아나테이너 보이스 – 김성주전현무 / 249

:: 깨방정 입담의 개그 MC – 유재석김구라 / 254

:: 꾸미지 말고, 본능적으로 – 정윤정이만웅 / 260

:: 냉철하고 이성적인 말의 힘 – 손석희김주하 / 265

:: 부드럽게 어루만지는 소리 – 이금희성시경 / 271

1등과 2등의 차이는 말에서 나온다

Chapter 01

꿈꾸는 사람처럼 말하면 꿈이 이루어진다

첫인상은 무엇으로
결정되는가

≫ 말 때문에 비호감이 된 사람

"고민이 있습니다. 전 뭣하나 빠질 게 없는데 소개팅을 했다 하면 여자들한테 퇴짜를 맞아요. 회사 생활도 잘하고 친구 관계도 좋은데 왜 이성에게는 어필하지 못하는 걸까요?"

IT 대기업에 다니는 30대 초반 직장인 K의 말이다. 내로라하는 일류 기업에 다니는 그에게 고민이 있었다. 연구 개발 중심의 회사에 근무하는 그는 이성과 교류하는 시간이 많지 않았다. 그런 그가 결혼을 염두에 두고 최근 소개팅을 자주하고 있었지만 번번이 여자로부터 퇴짜를 맞았다.

이야기를 들으면서 그를 유심히 살펴보았다. 그의 품성에 별다른 문제가 있어 보이지 않았다. 어디서나 볼 수 있는 평범한 성격의 소유자였다. 다만 자신에 대한 프라이드가 대단했다. 학벌, 직장, 집안, 외모 면에서 어느 누구에게도 뒤지지 않는다고 했다. 굳이 밝히지 않아도 될 것을 자주 언급하고는 했다. 잠시 후, 무엇이 문제였는지 알 수 있었다.

"소개팅할 때 여성과 어떻게 말을 하시죠?"

"그냥… 평범하게 말하죠."

"제가 볼 땐 평범하지 않아 보이네요. 그래서 여성들이 K씨에게 호감을 갖지 못한 거예요. 초면의 여성들에게는 첫인상이 매우 중요합니다. 깔끔한 외모와 패션이 좋은 인상을 주지요. 이와 함께 중요한 게 바로 말이에요. 목소리가 괜찮은 것만으로는 부족해요. 어떻게 상대에게 호감을 주는 말을 하느냐가 중요하죠. 오늘 제가 본 바로… K씨는 대화 도중에 자기 자랑을 자주합니다. 만약 제가 소개팅하는 여성이라면 정말 질색일 거예요."

그는 좋은 첫인상의 조건을 갖추었음에도 불구하고 말하기로 인해 손해를 보는 경우다. 그의 목소리는 차분했고 듣기에 훌륭했다. 그런데 그 목소리에 담긴 말에 문제가 있었다. 상대를 배려하지 않고

1등과 2등의 차이는
말에서 나온다

자기 자랑을 늘어놓음으로써 상대에게 비호감으로 낙인찍히고 말았다. 여자를 자주 사귀어본 사람치고 여자가 자랑질하는 남자를 좋아하지 않는다는 것을 모르는 사람이 없다. 이는 상식 중에 상식에 속한다. 이것을 알지 못했기에 소개팅 때마다 K씨의 첫인상은 좋지 않을 수밖에 없었다.

이처럼 적절하지 않은 말하기로 첫인상 점수를 스스로 깎는 경우가 적지 않다. 일례로 A 정치인은 과거 어눌한 말투로 인해 부정적인 첫인상을 불러일으켰다. 물론 그의 말투가 다른 정치인의 말투에 비해 차분하고 공손한 것은 좋은 측면이다. 그렇지만 어눌하고 모호한 말 때문에 우유부단하다, 결단력이 부족하다는 나쁜 평가를 받고 있는 것도 사실이다. 정치인에게 강한 리더십과 추진력은 생명이라는 점에서, 이는 치명적인 약점이 아닐 수 없다.

대중은 실제 그가 어떤 인물인지를 알 길이 없다. 언론에 비춰진 그의 첫인상을 통해 판단할 뿐이다. 이때, 그가 국회와 강연회에서 그리고 기자와의 인터뷰에서 내뱉는 말이 중요한 판단의 척도가 된다. '말이 첫인상을 좌지우지한다'는 점을 볼 때 기업인에서 정치인으로 변신한 그의 말하기는 아쉬움을 남긴다.

첫 마디에 실패하면 다음 기회는 오지 않는다

좋은 말하기로 대중에게 긍정적인 첫인상을 남긴 사례에는 누가 있을까? 대표적으로 N 정치인을 들 수 있다. 그는 언변을 통해 자신의 개성이자 장점을 대중에게 각인시키는 데 성공했다. 말하기로 자신의 브랜드를 잘 드러냈다고 할 수 있다. 이 정치인은 구수한 말투의 개그 화법으로 푸근한 첫인상을 준다. 그는 유머러스한 말을 통해 딱딱한 정치인의 이미지를 탈피해 대중에게 한 발짝 다가섰다. 더더욱 유머러스한 말이 다소 세게 느껴지는 그의 정치 색깔을 친근하게 만들었다. 그의 말을 들어보자.

"지금 선거 때만 되면요, 갑자기 어디서 산천어, 열목어 다 나타납니다. 다 깨끗하다는 것이죠. 그러나 지금까지 우리가 경험해봤지만 깨끗하다는 산천어, 열목어 선택해봤자, 3급수 4급수가 들어간 정당에다가 넣어버리면요, 곧 물고기가 죽습니다. 아니면 그 물고기가 돌연변이를 일으켜야 살아남는 거죠"

"50년 동안 한 판에서 계속 삼겹살을 구워 먹어 판이 이제 새까맣게

1등과 2등의 차이는
말에서 나온다

됐습니다. 이제 삼겹살 판을 갈아야 합니다."

어찌 보면 정치인에게 구수한 말투는 손해 보는 요소일 수 있다. 하지만 그는 여기에 개그를 탑재함으로써 무명 정치인이던 자신을 일약 스타 정치인으로 우뚝 세울 수 있었다.

'호감을 주는 말' 하면 방송인 이금희를 빠뜨릴 수 없다. 이금희는 스펀지 화법을 통해, 따뜻한 이모의 첫인상을 준다. 아나운서가 세련되고 조리 있게 말 잘해야 한다는 것은 상식이다. 그런데 이 정도로는 다른 아나운서와의 차별성을 갖기 힘들기에 그 이상이 필요하다. 이금희는 상대를 편안하게 만드는 마력을 가지고 있다. 그녀는 꼭 필요한 말만 짧게 하고 많은 시간 상대의 말을 경청한다. 그녀는 상대의 말은 물론 감정까지도 남김없이 모두 껴안을 듯하다.

이금희는 자신의 말하기 비결을 이렇게 소개한다.

"일단 상대의 눈을 봅니다. 게스트는 'MC가 내 얘기를 이해하려고 귀 기울여 노력하는구나'라고 느끼면 감춰진 이야기를 털어놓죠."

이렇게 해서 게스트와의 대화가 막힘없이 술술 이어지게 된다. 괜히 이금희를 한국의 오프라 윈프리 *Oprah Winfrey* 라고 부르는 게 아님을 알 수 있다.

모 통계에 따르면, 기업체 인사담당자가 첫인상으로 신입 사원을 뽑는 비율이 66퍼센트나 된다고 한다. 또한 첫인상을 결정하는 데 걸리는 시간이 1분, 5분, 보자마자, 3분, 10분 순으로 나왔다. 짧은 시간의 말이 첫인상을 결정하는 매우 중요한 요소임을 알 수 있다.

이렇듯 사람과 사람이 만날 때 첫인상은 매우 중요하다. '이번 만남에서 좋지 않은 인상을 줬더라도 다음 만남에서 좋은 인상을 주면 되겠지' 하면 오산이다. 첫인상에서 상대에게 호감을 얻어야 다음 만남을 기약할 수 있고, 더 나아가 '관계'가 만들어지기 때문이다. 따라서 상대에게 긍정적인 첫인상을 주기 위해 잘 준비해야 한다.

좋은 외모, 화장, 패션, 헤어스타일 모두 빼놓을 수 없다. 그런데 정작 중요한 말을 빼놓고 있지는 않은가? 말은 첫인상, 곧 한 사람의 전부를 판단하는 중요한 척도다. 말을 통해 상대로부터 호감을 얻고, 자신을 상대에게 잘 어필할 수 있어야 한다.

1등과 2등의 차이는 ●
말에서 나온다 ❞

논리가
생명이다

⮞ 설득력 있는 주장에는 근거가 있다

"저는 말하기에 자신이 없어요. 어떻게 하면 말을 잘할 수 있나
요?"

미인 대회에 참가하기를 희망하는 여대생이 찾아왔다. 스펙이며
외모가 나무랄 데 없이 좋았다. 더욱이 그녀의 말에 큰 문제가 없어보
였다. 목소리가 세련되었고 말하는 자세가 안정되었다. 문제는 말의
흐름이 이랬다저랬다 하는 것이었다. 그녀는 논리적으로 생각하는 데
익숙하지 않은 모양이었다. 그래서 그녀의 말은 두서없이 횡설수설하

기 일쑤였다.

이런 말하기는 미인 대회에서 감점 요소로 작용한다. 심사 위원들은 참가자의 말하기를 통해 당사자의 사고를 엿보고 점수를 매긴다. 조리 있고 재치 있는 말하기가 높은 점수를 받을 수 있다.

말은 한 사람의 사고를 고스란히 비추어준다. 한 사람과 잠깐만이라도 대화를 하고 나면, 그 사람이 논리적인지 비논리적인지를 금방 알 수 있다. 따라서 논리적인 사고를 잘 드러내는 말하기 훈련을 해야 한다. HR 인스티튜트의 〈파워 로지컬 싱킹*Logical thinking know-how do-how*〉한 대목을 보자.

"논리적인 사람은 어떤 경우에도 논리적이다. 생각이나 그 생각을 표현하기 위한 말, 문장에서도 비논리성은 발견되지 않는다. 반대로 비논리적인 사람은 어떤 경우에도 논리적인 부분을 발견할 수 없다."

논리적인 말하기 하면 언론인 손석희를 빼놓을 수 없다. 그는 〈100분 토론〉, 〈손석희의 시선집중〉을 통해 순발력 있고 논리적인 언변을 유감없이 보여주었다. 그의 날카로운 말은 여배우 브리지트 바르도*Brigitte Bardot*와 개고기에 대해 논했던 전화 인터뷰에서 잘 드러난다. 대표적인 예를 들어보자.

1등과 2등의 차이는 ●
말에서 나온다 ,

"인도에서는 소를 먹지 않는다고 해서 다른 나라 사람들이 소를 먹는 것에 대해 반대하지 않습니다. 이러한 문화적인 차이에 대해 인정하실 생각이 없으십니까?"

"한국에서 개고기를 먹는 사람이 얼마나 된다고 생각하십니까?"

첫 번째 발언은 잘 알려진 인도 문화를 근거로 들었다. 이 근거가 탄탄히 받혀주기 때문에 문화적 차이를 인정하라는 주장이 큰 설득력을 얻을 수 있다. 이렇듯 손석희는 자기주장을 뒷받침하는 근거를 잘 제시하는 능력을 가지고 있다. 다음 발언은 한국인 전체를 야만인으로 몰아세우는 것에 대해 사실을 대라고 요구한다. 극히 일부 한국인이 개고기 먹는 것을 침소봉대하지 말라는 것이다. 이렇게 침착하게 차근차근 논리로 대응하자, 브리지트 바르도는 흥분하면서 일방적으로 전화를 끊어버렸다. 이렇듯 손석희는 논리적인 말의 힘이 얼마나 대단한 것인지를 잘 보여주고 있다.

⇒ 말의 논리를 기르는 습관

논리적인 말하기는 무한 경쟁 시대에 차별화된 강점이 될 수 있다. 그런데 논리적인 말은 하루아침에 만들어지지 않는다. 평소 자신의 말에 각별히 주의를 기울이면서 논리적으로 말하는 연습을 부단히 해야 한다. 논리적인 말하기를 위한 다섯 가지 요소를 알아보자. 이것만 지켜도 자신의 말하기가 탄탄한 논리로 채워지는 것을 느낄 수 있다.

주장에는 적절한 근거를 대자

주장이 근거로 뒷받침되어야 한다는 것은 논술할 때 자주 들어온 말이다. 논리적 말하기도 마찬가지다. 잘 알면서도 일상적인 말하기에서는 근거를 빠뜨리기 십상이다. 이는 평소 논리적인 사고가 습관화되지 못했기 때문이다.

근거가 잘 갖추어진 주장과 그렇지 않은 주장은 천지차이임을 잊지 말자. 한 대학생이 유럽 여행을 가고 싶어서 부모님께 허락을 받고 있다고 하자. 그 대학생이 주장만 되풀이해서는 부모님 마음을 움직이기 힘들다. 하지만 근거를 잘 대면 설득이 쉽다.

"한 달간 유럽 배낭여행 보내주세요(주장). 글로벌 시대이니만큼 견문을 넓힐 수 있고 나중에 취직을 할 때 경력으로 넣을 수 있어서 좋습니다(근거)."

이렇게 말한다면 어느 부모가 자식의 유럽 여행을 반대할까? 특히

나 직장에서는 근거를 잘 대는 직원이 상사로부터 각별히 총애받는다
는 점을 기억해두자.

침소봉대와 논리 비약을 피하자

일부 한국인이 개고기를 먹는다고 한국인 전체를 야만인으로 단정
지을 수 없다. 이렇듯 일부의 사례를 전체로 확대하는 것을 유의해야
한다. 이와 함께 논리 비약을 조심해야 한다. 일본에 "바람이 불면 통
집이 돈을 번다"는 속담이 있다. 이는 바람이 불면 먼지가 많아 사람
들이 목욕탕에 몰려들고, 그러면 목욕탕에 물통이 부족해 통집이 돈
을 번다는 말이다. 그런데 이는 얼핏 그럴싸하지만 바람 부는 것과 통
집이 돈을 버는 것의 관련성이 떨어짐을 알 수 있다.

일관된 입장을 고수하자

주장이 약한 상태에서 여러 사람들의 입장을 고려하다 보면 자기
도 모르게 모순에 빠져 난처한 입장이 될 수 있다. 처음에 펼쳤던 주
장과 다른 새로운 주장을 내세우기 때문이다. 따라서 초지일관 자신
의 주장을 고수하는 자세를 가져야 한다.

평이한 단어를 사용하자

유식한 척 영어, 한문이나 자기만 아는 전문적인 용어를 자주 내뱉는 사람이 있다. 이는 자신의 주장을 상대에게 전달하는 데 도움이 되기는커녕 오히려 상대로부터 배척당하기 쉽다. 난해한 말은 소통을 저해한다는 것을 유념하자.

침착함을 잃지 말자

TV 토론 방송을 보면, 감정적인 말을 일삼는 이들을 종종 볼 수 있다. 논점에 상관도 없는 말을 마구 뱉어낸다. 가방끈이 기냐, 짧으냐부터 전라도 출신이냐, 경상도 출신이냐 등 인신공격성 트집 잡기가 그 예다. 이는 흥분한 상태가 되기 때문에 나온다. 논리적인 밀하기에서 흥분은 절대 금물임을 명심하자.

1등과 2등의 차이는
말에서 나온다

나를 표현하는
스토리텔링

단 한 가지만 말하라면, 스토리를 말하라

"첫 문장은 귀에 쏙 들어오게 하라."

"차별화된 자신의 경쟁력을 소개하라."

"번호를 붙여서 말하라."

"입사 후 포부로 마무리하라."

"공명을 주는 목소리로 말하라."

흔하게 접할 수 있는 면접 시 자기소개 방법이다. 어느 것 하나 빠뜨릴 수 없는 중요한 노하우임에 틀림없다. 대학생을 대상으로 취업 대비 말하기 특강을 자주 해온 나는 이를 잘 알고 있다. 이 다섯 가지를 학생들에게 누누이 강조한다. 그런데 나는 여기에 한 가지를 더 추가한다. 바로, 스토리텔링 말하기다.

스토리텔링 말하기는 위의 다섯 가지를 다 합한 것보다 더 강한 위력을 가지고 있다. 설령 위의 다섯 가지를 습득하지 못했더라도 스토리텔링을 이용해 자신을 소개한다면 충분히 면접관을 사로잡을 수 있다.

흔히 면접을 할 때 저지르는 실수 중 한 가지가 있다. 스펙을 죽 늘어놓는 것이다. 짧은 시간에 자신을 어필하고자 하는 마음에 스펙을 하나라도 더 언급하고 싶은 심정은 이해하고도 남는다. 하지만 아주 예외적인 스펙이 아니라면 다른 면접자와의 차별성을 갖기 힘들다.

그래서 필요한 것이 스토리텔링 말하기다. 가슴을 파고드는 스토리는 부족한 스펙을 보완해줄 뿐만 아니라 스펙 이상의 가치를 낳는다. 스토리텔링은 면접에서는 물론 다양한 비즈니스 미팅과 사적인 만남에서도 매우 효과적인 자기소개 방법이다.

베이글에 관한 다음 이야기는 스토리텔링의 위력을 잘 보여준다. 베이글은 도넛 형으로 만들어진 단단한 빵이다. 이 빵의 탄생에 얽힌 사연이 있다. 독일의 한 제빵사에게 유대인 아내가 있었다. 어느 날 아내가 나치군의 손에 잡혀 교도소에 갇히게 되었다. 그는 아내를 구하기 위해 교도소 내 제빵실에 위장 취업을 했다. 빼어난 솜씨를 인정받은 그는 교도소장으로부터 아내와 하룻밤을 보낼 수 있게 허락받는다.

면회를 앞둔 그는 아내가 좋아하는 빵을 만들었다. 하나만 먹어도 배가 부를 수 있도록 이스트를 조금 넣어 덜 부풀고 단단하게 만들었다. 이렇게 만든 빵에 커다란 구멍을 뚫고 줄에 엮어서 아내의 허리춤에 묶어주었다. 다른 사람에게 빼앗기지 않도록 하기 위해서였다. 이 둘은 '끈에 걸린 빵이 다 떨어지기 전에 꼭 다시 만나자'고 맹세했다. 하지만 두 사람은 영영 다시 만날 수 없었다. 이후 그는 고향에 돌아와 아내를 그리워하면서 베이글을 만들었고, 베이글은 탄생에 얽힌 스토리와 함께 전 세계적으로 유명한 빵이 되었다.

아쉽게도 이 베이글 스토리는 지어낸 이야기다. 하지만 스토리의 힘이 워낙 막강하기 때문에 대중은 진위에 상관없이 매혹에 빠진다. 그래서 빵집이나 카페에 들러 베이글을 먹을 때마다 독일인 제빵사와 유대인 아내의 슬픈 이야기를 떠올리게 된다.

이처럼 깊은 인상을 남기는 스토리가 또 있다. 폴 포츠*Paul Robert Potts*의 이야기다. 팝페라 가수 폴 포츠는 자신의 삶 그 자체로 감동 스토리를 전달한다. 볼품없는 외모에 휴대폰 외판원으로 일하는 한 남자가 〈브리튼스 갓 탤런트*Britain's Got Talent*〉에 출연해 오페라를 부르겠다고 했다.

그에게 관심을 갖는 사람은 아무도 없었다. 그런 그가 오페라 투란도트의 '공주는 잠 못 이루고'를 청아한 목소리로 불렀다. 암 투병과 교통사고, 따돌림과 가난이라는 과거를 극복하고 부르는 노래였다. 결과는 놀라웠다. 관객은 감동의 도가니에 빠졌다.

만약 폴 포츠가 호감 가는 외모에 엘리트 코스를 밟은 성악가였다면 어땠을까? 아마 그만큼 감동이 줄어들었을지 모른다. 대중은 역경을 이겨낸 그가 아름다운 오페라를 부르는 모습에서 마치 동화 속 주인공을 보는 듯한 기분을 느꼈다. 이제 그는 자신의 역경 극복 스토리를 통해 전 세계적인 팝페라 가수가 되었다. 누구나 폴 포츠라고 하면 그의 스토리를 떠올리면서 감동에 젖어들 수밖에 없다.

좋은 스토리에는 카타르시스가 있다

"스토리텔링, 즉 이야기를 잘 전달하는 훈련은 곧 커뮤니케이션 능력을 향상시키는 것과 같습니다. 만약 강연을 할 계획이라면 스토리텔링을 훈련하는 것이 도움될 것입니다. 강연을 할 계획이 전혀 없다고 하더라도, 스토리텔링 훈련은 여러분의 사회생활에 커다란 무기가 되어줄 것입니다."

미국 최고의 강의법 코치이자 프레젠테이션 전문 컨설턴트인 더그 스티브슨*Doug Stevenson*의 말이다. 미국 최고의 명강사인 그는 스토리텔링이 강의는 물론 비스니스 미팅과 면접, 일상생활에서 매우 유용한 말하기 노하우라고 말한다. 그렇다면 스토리텔링으로 말하기 위해서는 어떻게 해야 할까? 좋은 스토리텔링에는 네 가지 필요조건(주제, 갈등, 공감, 해결)과 두 가지 부수조건(반전, 근거)이 요구된다. 우선, 필요조건에 대해 자세히 알아보자.

주제

한 가지 뚜렷한 주제가 있어야 한다. 주제를 놓치지 않는 이야기가 사람들로부터 사랑받기 때문이다. 구전설화나 동화도 '권선징악'이라는 단일한 주제를 이야기로 구성했기 때문에 오랜 기간 사랑받고 있다. 하고자 하는 이야기는 하나의 주제로 일관되어야 한다.

갈등

흥미 있는 이야기에서 빠뜨릴 수 없는 요소로, 위기와 절정에 해당한다. 갈등이 깊으면 깊을수록 이야기의 감동이 배가된다. 갈등 때문에 사람들이 이야기에 빠져든다는 것을 잊지 말자. 베이글 이야기의 경우, 독일인 제빵사와 유대인 부인의 이별 그리고 끝내 이루어질 수 없는 사랑이 이에 해당한다. 폴 포츠의 경우, 불우한 성장 과정과 제대로 음악 공부를 할 수 없었던 악조건이 바로 갈등이다. 그는 이 갈등을 극복한 성공 스토리를 들려주고 있다.

공감

아무리 주제와 갈등이 잘 갖추어졌다 해도 듣는 이가 공감하지 못하면 죽은 이야기나 다름없다. 해외여행 중 음식을 잘 못 먹어 고생(갈등)했다고 하자. 그런데 그 음식이 '본따뺄레'라는 가상의 음식이라면 어떻게 될까? 누구나 생소한 이야기에는 쉽게 공감하지 못한다. 스토리는 듣는 이가 잘 알고 이해할 수 있어야 공감을 끌어낼 수 있다.

해결

극적인 이야기는 반드시 갈등의 해소에 따른 카타르시스를 선사한다. 갈등이 잘 해결된 이야기가 곧 좋은 이야기로 평가받는다.

이 네 가지 필요조건과 함께 생각해볼 것으로 부수조건이 있다. 부수조건은 없어도 좋지만 있으면 그만큼 효과적이다. '반전'은 지루하게 흐르는 이야기에 충격을 주는 효과가 있다. 전혀 예측하지 못하는 이야기의 흐름은 호기심과 집중력을 유도한다. 이를 상황에 따라 적절히 사용하면 좋다. '근거'는 이야기의 신뢰를 이끌어낸다. 사극이 왜 그렇게 흥미진진할까? 역사적 사실에 근거했기 때문이다. 자신의 이야기가 허황되지 않고, 공중에 붕 뜨지 않았음을 보이기 위해서는 근거를 충분히 보여줘야 한다.

스토리텔링 말하기는 의사, 변호사, 공인회계사 등 전문직 종사자들에게도 필요한 말하기 노하우다. 갈수록 전문직 시장의 공급은 늘어나지만 수요는 줄어들고 있는 것이 현실이다. 스토리텔링으로 표현하면, 고객은 틀림없이 고개를 끄덕일 게 분명하다.

말하기가 두렵게
느껴지는 이유

⇒말실수가 부른 트라우마

"교수님, 이번 달에 발표가 있는데 걱정입니다."

모 의료기기회사 팀장이었다. 그는 영업 수완이 좋아 그 회사에 스카우트되었다. 그런데 그에게 말 못할 고민이 있었다. 앉은 자리에서 편하게 영업을 하는 데는 탁월한 능력을 발휘했지만 프레젠테이션이 문제였다. 그가 말했다.

"평소 말을 잘하니까 발표도 잘해야 당연한 게 아니겠어요? 실은 발표를 못하지는 않았어요. 작년 말에 수백억의 수주가 걸린 프레젠

1등과 2등의 차이는 ●
말에서 나온다 ﹐

테이션이 있었죠. 그때 지나치게 긴장을 해서, 평소답지 않게 잦은 실수를 하는 바람에 수주가 물 건너가버렸어요. 이 일로 회사에 엄청난 손실을 준 거죠. 심적으로 너무나 괴로웠어요."

어떻게 된 상황인지 이해가 되고도 남았다. 한 번의 실수가 그의 발목을 잡고 있었다. 내가 말했다.

"그러니까 그때의 실수가 트라우마로 자리 잡았군요. 그래서 발표가 두려워진 거 아닌가요?"

그가 고개를 끄덕였다. 이처럼 우리 주변에 트라우마로 인해 중요한 발표나 프레젠테이션을 잘 못하는 이가 적지 않다. 이들은 직장 생활에 막대한 지장을 겪게 된다. 말하기는 비즈니스에서 매우 중요한 경쟁력인데, 여기에서 아무런 재능을 발휘하지 못한다면 낙오자가 될 수밖에 없기 때문이다.

이외에도 트라우마로 인해 정상적인 말하기를 하지 못하는 이가 많다. 대표적으로 이런 증상이 많은 이를 괴롭히고 있다.

- 말을 더듬는 증상
- 목소리가 약하고 떨리는 증상
- 지나치게 말투가 어눌한 증상
- 눈빛을 타인과 제대로 마주치지 못하는 대인공포증

어쩌면 이러한 증상으로 말 못할 고민을 안고 있는 사람이 바로 당신일 수 있다. 상당수는 자라온 환경에서의 심리적 상처, 트라우마와 열등감 등으로 인해 자존감이 극히 떨어져서 이런 증상을 보인다. 사실 트라우마와 열등감은 삶에 결정적으로 작용하기 때문에 말하기를 새롭게 변화시키는 것이 불가능하다는 의견도 있다.

하지만 정신의학자이자 심리학자인 알프레드 아들러$^{Alfred\,Adler}$에 따르면 전혀 그렇지 않다는 점을 기억하자. 〈미움받을 용기^{嫌われる勇氣}〉에 등장하는 철학자는 마음의 상처, 즉 트라우마가 현재 겪고 있는 불행의 결정적 원인이라는 프로이트 이론에 반대한다. 그는 이렇게 말한다.

아들러는 트라우마 이론을 부정하면서 이렇게 말했네. "어떠한 경험도 그 자체는 성공의 원인도 실패의 원인도 아니다. 우리는 경험을 통해서 받은 충격―즉 트라우마―으로 고통받는 것이 아니라, 경험 안에서 목적에 맞는 수단을 찾아낸다. 경험에 의해 결정되는 것이 아니라, 경험에 부여한 의미에 따라 자신을 결정하는 것이다"라고.

따라서 누구나 트라우마를 극복해 자존감을 회복할 수 있으며, 멋지게 말하는 사람으로 변신할 수 있다.

울렁증을 고치려면 두려움을 버려라

버락 오바마*Barack Obama*를 보자. 그가 두 살 때, 케냐 출신의 흑인인 아버지와 백인인 어머니가 이혼했다. 이후 어머니는 인도네시아인과 두 번째 결혼 생활을 시작했고, 그는 하와이의 외조부모 밑에서 성장했다. 그는 흑인이었지만 흑인 학생으로부터도 백인 학생으로부터도 친구로 인정받지 못한 '주변인'이었다. 트라우마와 열등감이 생긴 그는 방황하다가 마약에 손대기까지 했다. 그런데 그는 이런 배경을 가졌지만, 젊은 시절부터 뛰어난 언변을 자랑했고 오늘날 명연설가로 인정받는 대통령이 되었다.

그가 자라온 불우한 환경과 그로 인해 생긴 트라우마, 열등감은 그의 말하기에 걸림돌이 되기 충분했다. 그런데 왜 그는 말을 더듬지도 않고, 말투가 어눌하지도 않았을까? 간단하다. 그는 트라우마와 열등감을 성장 동력으로 삼아 지속적으로 자신을 끌어올렸다. 따라서 자존감이 강한 그의 말하기는 남녀노소의 마음을 움직이는 힘을 갖고 있다.

프레젠테이션의 대가 스티브 잡스*Steve Jobs*도 마찬가지다. 그는 자신이 입양아 출신이라는 점 때문에 트라우마와 열등감을 가지고 있었다. 그 역시 방황하고 마약에 손을 댄 이력이 있다. 더욱이 대학을 중퇴하고 미래를 보장할 수 없는 컴퓨터 사업에 뛰어들었다. 그는 어느 모로 보나, 평균치 미달의 삶을 살았다. 따라서 그에게는 말을 더듬고, 대인공포증을 가질 수 있는 여건이 충분했다. 그런데 보라. 누가 스티브 잡스에게서 그것을 언급하는가? 스티브 잡스는 전 세계적으로 가장 말을 잘하는 사람 가운데 하나이지 않은가?

이유는 자명하다. 그는 트라우마와 열등감을 도전 정신으로 승화했다. 그는 누구보다 자신의 일을 사랑했으며 자신에 대한 자존감이 매우 높았다. 그는 스탠퍼드 대학 졸업식에서 연설을 하며 자신이 미쳐서 좋아할 수 있는 일을 찾으라는 메시지를 던지고 이렇게 말했다.

"배고픔을 즐겨라! 가끔은 엉뚱하게 살아라!"

이처럼 자기 확신이 강하기 때문에 그는 단호하고 군더더기 없으며 명쾌한 말하기의 대가로 인정받을 수 있었다.

버락 오바마와 스티브 잡스, 이들은 불우한 환경으로 인해 생긴 트라우마와 열등감을 극복했기에 자존감이 높았다. 이로 인해 이들은 훌륭한 연설가가 될 수 있었다. 말을 잘하기 위해서는 무엇보다 자존감이 강해야 한다. 타인에게 말 못할 상처, 열등감에서 자유로워져야 한다. 그때 비로소 당당한 눈빛으로 청중의 가슴을 울리는 멋진 말을 할 수 있다.

자존감이 약한 이들은 여러 사람 앞에서 말을 할 때 울렁증을 겪는

1등과 2등의 차이는 ●
말에서 나온다 ❞

다. 울렁증을 없앨 수 있는 말하기 요령을 숙지해보자. 모두 네 가지가 있다. 이를 통해 당당히 말할 수 있다는 용기를 갖자.

청중을 희화화하기

청중이 나를 평가하는 사람이 아니라 나의 이야기를 즐겁게 듣는 사람이라고 생각하자. 여전히 청중이 두렵게 느껴지는가? 그렇다면, 내 이야기를 듣는 청중이 구두 안에 구멍 난 양말을 숨기고 있다고 생각해보자. 그러면 마음이 편해져서 자신의 능력을 잘 발휘해 말할 수 있다.

도입부에서 자신의 역량을 낮추는 말을 삼가기

"제가 준비를 많이 못해서…" "제가 많이 부족하지만…" 무심코 내 뱉을 수 있는 말이다. 이는 결코 겸양의 표현이 될 수 없다. 이 말은 오히려 자신에 대한 청중의 신뢰감을 떨어뜨리게 함으로써 청중이 집중하지 못하게 한다. 이 때문에 더더욱 초조해진 나머지 울렁증에서 헤어나오지 못하게 된다.

콘텐츠에 대해 탄탄하게 공부하기

듣는 이보다 내가 더 많이 알고 있을 때 청중은 평가를 멈추고 귀를 기울인다. 자신이 말하고자 하는 내용을 충분히 소화했을 때, 청중은 심사위원이 아닌 방청객의 시선으로 편하게 나를 바라볼 것이다. 자신이 발표하는 콘텐츠에 대한 공부는 아무리 해도 지나치지 않음을 기억하자.

확신에 찬 자기 주문을 하기

"나는 최고다." "오늘 최고의 프레젠테이션을 선보일 것이다." 평소 이러한 자기 주문을 자주 하면 긴장 완화에 효과적이다. 특히 무대에 선 자신의 모습을 선명하게 이미지화하면서 간절히 주문을 외면 좋다. 점차 두둑한 배짱이 생기는 자신을 발견하게 된다.

끌리는 비언어로
무장하라

⚡ 미국을 흔드는 그녀의 연설

"미국은 여러분의 성공 없이 성공할 수 없습니다. 그게 내가 대선에 나가는 이유입니다. 또 열심히 일하면 성공할 수 있다는 게 미국의 기본적 합의입니다. 그렇기 때문에 나는 경제 회복 과정에서 낙오한 평범한 미국인을 위해 싸우겠습니다. 번영은 CEO나 헤지펀드 매니저만을 위한 것일 수 없습니다. 또한 민주주의는 억만장자나 대기업만을 위한 것일 수 없습니다."

지난 2015년, 힐러리 클린턴*Hillary Rodham Clinton* 전 국무장관이 대선 출마 선언 후 가진 첫 대중 연설이다. 힐러리는 '평범한 미국인의 옹호자'를 자처하면서 지지를 호소했다. 그녀는 70대의 나이가 무색할 정도의 열정적인 연설로 많은 지지자들의 호응을 얻어냈다.

그녀는 즉흥적으로 말할 때 수첩을 활용한다고 한다. 거기에는 속담, 격언, 성경 구절 및 사회, 문화, 경제 다방면의 이슈를 적어놓았다. 만반의 준비를 하고 있는 그녀의 연설은 여느 누구보다 강한 공감을 이끌어내고 있다. 게다가 그의 연설은 발음과 톤도 뛰어나다.

그래서일까? 이번 대선 후보 가운데 대중 연설에서는 여러모로 볼 때 단연 힐러리가 앞선다. 그녀의 연설에서는 강한 카리스마가 보인다. 힐러리의 연설이 뛰어난 데에는 그녀의 자신감 넘치는 눈빛과 제스처가 한몫을 톡톡히 하고 있다. 민주당 대선 후보 버니 샌더스*Bernie Sanders*와 비교해보면 금방 알 수 있다. 버니 샌더스의 말은 진솔하고 강력하다. 하지만 그에게는 세련된 몸동작이 부족하다. 그는 고개를 앞으로 내미는 동작 때문에 자세가 구부정하게 보인다. 그래서 나이 들어 보이고 활력이 떨어져 보인다. 이는 그의 말하기 경쟁력을 떨어뜨리는 약점이 아닐 수 없다.

1등과 2등의 차이는 ●
말에서 나온다 ❜

말의 90퍼센트는 목소리와 몸짓이 결정한다

미국의 심리학자이자 의사소통 전문가 앨버트 메러비언*Albert Mehrabian*
은 말하기에서 음성과 몸짓이 매우 중요한 요소라고 한다. 그에 따르
면 말의 내용은 7퍼센트, 음성은 38퍼센트, 몸짓은 55퍼센트의 영향을
미친다고 한다. 똑같은 내용이라도 어떤 목소리로, 어떤 몸짓으로 말
하는지가 호소력에 큰 차이를 낸다는 것을 알 수 있다.

말을 잘하기 위해서는 특히 몸짓과 같은 비언적인 요소에 만반을
기해야 한다. 그러면 듣는 이의 마음을 사로잡는 비언어 요소 다섯 가
지를 살펴보자. 이것은 말하기뿐만 아니라 일상생활에서 자신을 끌리
는 사람으로 어필할 수 있는 유용한 팁이다.

호감 가는 용모

말은 사람과 사람의 만남에서 시작되기에 첫인상이 중요하다. 상대
에 대한 호불호는 짧은 시간 내에 내려지기 때문에 호감을 주는 용모
를 갖추어야 한다. 우선 헤어스타일에 신경을 쓰자. 드라마 배우를 보
면, 다양한 캐릭터를 소화하기 위해 그에 맞춰 머리 모양을 바꾼다. 머
리가 캐릭터를 표출하는 데 매우 중요한 역할을 하기 때문이다. 따라서
자신의 직업과 가치관을 잘 나타내는 스타일을 연출해야 한다.

의상도 마찬가지다. 누구나 살아가면서 다양한 미팅, 면접, 발표를 하게 되는데 그때마다 좋은 의상과 스타일링으로 자신을 어필해야 한다. 자신의 스타일을 잘 드러내는 격식 있는 정장이 바람직하다.

밝은 표정

밝고 편안한 표정을 짓는 사람에게 끌리기 마련이다. 이와 반대로 어둡고 불안한 표정을 짓는 사람에게는 사람들이 모이지 않는다. 그가 아무리 지적으로 무장해 달변을 한다고 해도 그의 말에 아무도 관심을 기울이지 않는다. 웃음은 보기만 해도 가슴이 환해지고, 순식간에 수많은 사람에게 전파되는 위력을 가지고 있다. 따라서 평소에 미소 짓는 표정을 자주 연습하자.

누구나 비행기를 탔을 때 승무원의 환한 미소에 기분이 좋아졌던 경험이 있다. 승무원의 미소는 하루아침에 만들어진 것이 아니다. 승무원은 볼펜을 입에 물고 입꼬리를 올리는 연습을 수도 없이 반복한다.

미소를 잘 짓기 위해서는 세 가지를 꼭 기억하자. 첫째, 얼굴 근육을 자주 풀어주자. 찡그렸다가 펴는 표정을 짓거나 아, 에, 이, 오, 우 모양으로 입을 크게 벌리는 연습을 하면 좋다. 둘째, 입꼬리가 잘 올라가지 않는 쪽을 자주 당겨 올리는 훈련을 하자. 거울을 보고 미소를 지어보면 한쪽 입꼬리가 잘 올라가지 않는다는 것을 알 수 있다. 그러니 그쪽 입꼬리를 자주 사용해보자. 셋째, '쿠키' '와이키키' '위스키'를 발음해보자. 이 발음을 내면 저절로 미소 짓는 표정이 나온다. 평소이 발음들을 자주 내면서 미소를 지어보자.

커진 동공과 안정적인 시선 처리

눈은 마음의 창이다. 말없이도 눈을 통해 사람의 마음을 읽을 수 있듯이, 눈을 통해 내 마음을 전달할 수도 있다. 대개 바라보는 상대에게 호의를 느낄 때 동공의 크기가 커지고, 그렇지 않을 때 동공이 작아진다. 실제로 EBS 다큐멘터리에서 이에 대해 실험했다. 동일한 인물 사진을 두 장 준비하고, 그중 한 장은 동공 크기만 다르게 조절했다. 사진을 받아본 사람들은 둘 중 어느 사진에 호감을 받았을까? 실험 결과, 112명 중 78명의 사람들이 동공이 큰 사진에 호감을 느꼈다고 나왔다. 눈빛의 중요성을 일깨우는 결과다.

이처럼 대화를 할 때는 안정적인 시선 처리도 중요하다. 초점을 잃은 시선으로 말하거나, 창밖이나 천장을 보면서 말한다면 누가 그의 말에 귀 기울이겠는가? 사람들은 자신에게 향한 말하는 사람의 시선을 통해 관심받고 있다는 느낌을 갖는다. 그래서 그 사람의 말에 몰입할 수 있다.

자신감 있는 자세

힐러리에 비해 경쟁력이 떨어진 버니 샌더스의 사례를 기억하자. 버니 샌더스의 말하기에서 유일한 약점을 꼽으라면 바로 구부정한 자세다. 기본적으로 말을 할 때는 자신감 있게 허리를 곧게 편 자세를 취하는 것이 좋다. 누구에게나 오랫동안 습관화된 좋지 않은 자세가 있는데, 이를 바로 고쳐야 한다.

적절한 제스처

손으로 하는 제스처는 상대에게 많은 의미를 전달한다. 일례로, 강한 의지를 보이기 위해서 주먹을 불끈 쥐거나 시선을 모으기 위해 손을 상하좌우로 움직이면서 가리키는 경우가 있다. 이러한 제스처를 능수능란하게 사용하는 사람들이 있다. 바로 쇼핑호스트다. 이들은 제스처를 통해 소개하는 제품을 자세히 보여주면서 시청자의 집중력을 최대로 높인다.

보통은 손바닥을 보이게 하고, 방향은 안에서 바깥으로 향하게 하는 것이 좋다. 거울을 보고 꾸준한 연습을 통해 자신에게 익숙하고 어울리는 제스처를 습득하자.

말이 바뀌면
인생이 달라진다

⤳ 전국을 울린 짧은 고백

'입' 하나로 10억 달러의 미디어 제국을 건설한 여성이 있다. 그녀는 오프라 윈프리다. 그녀가 진행하는 〈오프라 윈프리 쇼〉는 미국 내시청자가 2,200만 명에 달할 뿐만 아니라, 전 세계 140여 개국에 방영되었다. 무려 20년 넘게 낮 시간대 TV 토크쇼 시청률 1위를 고수했다.

그녀가 처음 쇼의 진행을 맡았을 때, 그 프로는 시카고 지역의 삼류토크쇼에 불과했으며 시청률이 매우 저조했다. 하지만 그녀는 한 달만에 시청률을 급등시켰고, 그 프로는 전국적으로 방영되는 〈오프라 윈프리 쇼〉로 탈바꿈했다.

오프라 윈프리는 가난한 할렘가 출신에 변변한 학벌도 없고, 여성으로서 뛰어난 외모를 가진 것도 아니다. 더욱이 그녀는 성폭력을 당해 14살에 미혼모가 된 아픔을 갖고 있었다. 이런 그녀가 어떻게 해서 전 세계인을 사로잡는 이름난 토크쇼 진행자가 될 수 있었을까? 그것은 바로 탁월한 말하기 능력이다. 많은 이들이 언급하는 그녀의 강점은 공감을 주는 말하기다. 그녀는 변변히 내세울 것 없다는 자신의 약점을 상대를 껴안는 따뜻한 말로 극복했다.

1986년 9월의 〈오프라 윈프리 쇼〉다. 이날은 근친상간으로 학대받은 여성이 출연해 자신의 과거를 이야기했다. 그 여성은 세상의 시선을 의식해서인지 속내를 밝히는 데 망설였다. 대화가 끊겼고 침묵이 감돌면서 방송이 매끄럽지 못했다.

이때 오프라 윈프리가 그녀를 바라보면서 말했다.

"사실은 저도 그래요."

방청객들은 방송 사고가 난 것이 아닌지 웅성거렸다. 오프라 윈프리가 근친상간의 피해자라는 말은 믿기 힘들었다. 하지만 명백한 사실이었다. 오프라 윈프리는 담담하게 자신의 과거를 꺼내놓았다. 그러자 이에 용기를 얻은 출연자가 자신의 과거를 술술 털어놓았다. 스튜디오는 울음바다가 되었고, 이날의 방송은 전국적으로 뜨거운 반응을 일으켰다. 이를 기점으로 〈오프라 윈프리 쇼〉는 미국에서 최고의 인기 토크쇼로 거듭났다.

만약 오프라 윈프리가 그날 자신의 과거를 꾹꾹 누르고 게스트를 바라보기만 했다면 어떻게 되었을까? 아무리 재치 있고 순발력 있는 언변을 발휘하더라도 그날 방송은 최악의 시청률을 기록했을 것이다. 또한 〈오프라 윈프리 쇼〉는 많은 사람으로부터 외면받았을 것이다. 하지만 기꺼이 자신의 상처를 내보이는 솔직하고 따뜻한 말로써 그녀는 자신의 쇼를 성공의 반열에 올려놓았다.

그녀가 17세에 화재 예방 미인 대회에서 수상하게 된 것도 재치 있는 말하기 능력 때문이었다. 이러한 발군의 말하기 능력은 타고난 것일까? 그렇지 않다. 그녀는 어릴 때 외할머니로부터 성경 암송 교육을 받았다. 이를 통해 꼬마 설교사라는 별명이 붙을 정도로 뛰어난 화술을 자랑하게 되었다. 오프라 윈프리는 말이 바뀌면서 인생이 달라졌다. 그녀는 공감하는 언변으로 세계적인 여성 리더가 될 수 있었다.

⇒ 화려한 무대 뒤에 숨은 연습

스티브 잡스도 마찬가지다. 그는 IT 황제일 뿐만 아니라 세계적인 프레젠터다. 하지만 세계 최고 프레젠터로서의 명성은 하루아침에 만들어지지 않았다. 그는 끊임없는 연습을 통해 프레젠테이션을 최고 수준으로 만드는 데 주저하지 않았다. 카마인 갈로*Carmine Gallo*는 자신의 저서 〈스티브 잡스 프레젠테이션의 비밀*The presentation secrets of Steve Jobs*〉에서 이렇게 말한다.

"스티브 잡스는 무대 위에서 빈틈없는 연기를 선보이는 최고의 배우다. 그의 모든 동작과 시연, 이미지, 슬라이드는 완벽한 조화를 이룬다. 무대 위에 선 잡스의 모습은 너무나 편하고 자신감 넘치며, 자연스러워 보인다. 청중이 보기에는 그가 대단히 쉽게 프레젠테이션 하는 것처럼 보인다. 사실 거기에는 비밀이 있다. 잡스는 몇 시간씩, 아니 며칠씩 프레젠테이션을 연습한다."

이렇게 해서 그는 뛰어난 프레젠터로 거듭났으며 전 세계인의 가슴에 애플사 브랜드를 깊이 각인시키는 데 성공했다. 이와 함께, 애플사는 세계 최고 IT 기업으로 발돋움할 수 있었다. 지금의 애플을 만드는 데, 그의 프레젠테이션이 필수 불가결한 요소임에 틀림없다.

"진보적인 미국도, 보수적인 미국도 없습니다. 오직 '미합중국'만이

1등과 2등의 차이는 •
말에서 나온다 ,

있을 뿐입니다. 흑인을 위한, 백인을 위한, 히스패닉을 위한, 아시아인

을 위한 미국도 없습니다. 오직 '미합중국'만이 있을 뿐입니다. 우리

는 하나의 국민입니다."

2004년 미국 민주당 전당대회에서 이 연설로 무명 정치인이 일약
스타에 등극했다. 그는 버락 오바마로, 민주당 존 케리*John Kerry* 후보의
자원 연설에 나선 상태였다. 타고난 중저음 톤으로 울리는 그의 연설
은 미국 전체를 들썩이게 했고, 그는 대통령 후보의 자리까지 도약할
수 있었다.

본래 그의 삶에서 말은 큰 비중을 차지하지 않았다. 그런 그가 학생
시절 옥시덴탈 대학에서 우연히 '누군가 투쟁하고 있습니다'라는 1
분 연설을 하게 되었다. 그의 연설은 다른 학생들에게 큰 감동을 주
었고, 젊은 오바마는 이를 계기로 학교의 스타가 되었다. 이로부터
그는 말하기에 관심을 갖고 매일같이 연습을 거듭했다. 이러한 노력
끝에 최고의 연설가로 탈바꿈한 그는 2008년 미국 대통령에 취임할
수 있었다.

혹자는 인생에서 생각이 중요하다고 한다. 그래서 생각이 바뀌어
야 인생이 바뀐다고 한다. 혹자는 인생에서 행동이 중요하다고 한다.

그래서 행동이 바뀌어야 인생이 바뀐다고 한다. 다 맞는 말이다. 그런데 생각과 행동 못지않게 매우 중요한 비중을 차지하는 것이 말이라는 사실을 간과하지 말아야 한다. 경영 사상가 피터 드러커*Peter Ferdinand Drucker*는 말했다.

"인간에게 있어서 가장 중요한 능력은 자기표현이며, 경영이나 관리는 커뮤니케이션에 의해서 좌우된다."

혹시 생각과 행동은 본질적인 것이지만 말은 형식적인 것이라고 생각하지는 않았는가? 그러면서 말에 대한 관심과 연습을 게을리하지 않았는가?

그런데 보라. 오프라 윈프리, 스티브 잡스, 버락 오바마, 이들의 성공적인 삶에서 말이 차지한 비중은 절대적이지 않았는가? 이 세 명의 리더들은 남과 차별화된 말하기 능력으로 인생을 바꾸었다. 만약 이들이 남들처럼 자신의 말에 별다른 관심을 기울이지 않고 말하기 능력을 향상시키지 않았다면 현재의 그들이 있을 수 없을 것이다. 이들을 통해 볼 때, 분명하게 확인할 수 있는 것은 하나다. 말이 바뀌면 인생이 달라진다는 점이다!

불가능을 가능으로
만들고 싶다면

⇒ 말하기 분야의 최고 실력자가 알려주는 조언

"아나운서가 꿈인데 말을 어떻게 해야 하죠?"

"성우가 되고 싶은데 어떻게 하면 성우처럼 말을 잘할 수 있어요?"

특강과 강의를 할 때 자주 접하는 질문이다. 취업 걱정에 시달리는 대학생들이 간절한 눈빛으로 내게 도움의 손길을 요청한다. 그들을 바라보노라면 가슴이 저린다. 대학생들을 많이 상대하는 내 느낌으로는 대학생 다섯 명 가운데 한 명이 취업을 못하는 듯하다. 그만큼 취업이 힘들어졌음을 알 수 있다.

그래서인지 내가 진행하는 강의의 열기가 뜨겁다. 다들 한눈팔지 않고 내 말 한 마디 한 마디에 귀 기울인다. 자신이 희망하는 직업을 위해, 그리고 면접을 위해 말을 잘 활용하고자 하기 때문이다. 나는 그런 그들에게 실질적인 도움을 줄 수 있도록 강의에 만반을 기한다. 여기에다 대학생들의 질문을 받고, 성의껏 답변을 해준다.

학생들이 궁금해하는 질문 중 자주 접하는 것이 있다. 바로 자신이 희망하는 직업을 갖기 위해서 어떻게 말해야 하냐는 것이다. 아나운서가 되기 위해서, 리포터가 되기 위해서, 성우가 되기 위해서, 배우가 되기 위해서 어떻게 말을 해야 하냐고 하는 것 말이다.

그들이 해당 직업에 필요한 말의 노하우를 몰라서 질문하는 것이 아니다. 그들은 이미 여러 강의를 듣고 학원을 수강하기도 했다. 그런 그들이 내게 왜 이런 질문을 하는 것일까? 말하기 분야 최고 실력자에게서 뻔하지 않은 특별한 비결을 듣고 싶기 때문이다. 책이나 일반 학원에서는 배울 수 없는 진짜 노하우를 알려달라고 하는 것이다. 그들은 하나같이 꿈을 이루고 싶다는 열망을 담고 내게 묻는다. 그런 그들에게 나는 애정 어린 눈빛으로 답한다.

"성공하고 싶으면 성공한 사람처럼 말을 하세요. 자신이 일하고 싶은 분야가 있을 거예요. 방송, 연예, 경영, 정치, 외교 등 여러 분야에서

1등과 2등의 차이는
말에서 나온다 ;

성공한 롤모델을 한 명 세워보세요. 그 롤모델을 떠올리면서 자신도 성공한 것처럼 말하는 습관을 가지세요. 밥을 먹을 때, 친구와 대화를 할 때, 자기 자신에게 주문을 걸 때 언제든지 그렇게 하세요. 그러면 성공한 사람처럼 말을 잘하게 되고 이와 함께 꿈이 이루어집니다."

⇉ 기찻길 옆 오막살이 소녀에서 말의 달인으로

부산 출신의 나는 어릴 때 꿈도 희망도 없이 자라났다. 배움이 깊지 못한 부모님은 집 근처 신발 공장에 다니셨다. 아버지의 주사가 심해서 집안이 평온하지 못했다. 언제나 집안 형편이 나아질 기미가 보이지 않았다. 우리 가족은 다세대 주택에 살았는데 여러 가구와 함께 하나의 화장실을 사용했다. 집 근처에는 기찻길이 있었다. 밤낮으로 기차가 지나가면서 소리를 냈다. 어릴 때부터 귀에 인이 박일 정도로 들어왔기에 소리만으로도 직행인지 완행인지, 또 무궁화호인지 새마을호인지를 구별할 수 있었다.

여러모로 열악한 환경에서 성장한 나는 잘하는 것이 없었다. 공부면 공부, 운동이면 운동, 미술이면 미술 어느 것 하나 잘하지 못했다. 나는 평범하다 못해 주목받지 못한 아이였다. 미래가 전혀 기대되지 않는 아이였다. 이런 나에게 변화가 찾아왔다. 고등학교 국어 시간에 교과서를 읽다가 선생님께 성우 같다고 칭찬을 들으면서부터였다. 난생 처음으로 선생님에게 좋은 평가를 받았다. 그때 나는 얼마나 기분이 좋았는지 모른다.

'나도 잘하는 게 있구나. 그래, 앞으로 더 멋진 목소리를 내보자. 그러면 친구와 선생님에게 인정받을 수 있을 거야.'

나는 좋은 목소리를 위해 공부를 해나갔다. 내가 잘하고 내가 좋아하는 공부를 하다 보니 시간 가는 줄 몰랐다. 이 과정에서 나는 나의 강점인 목소리를 바탕으로 성우를 꿈꾸었다. 내게도 처음으로 가슴 설레는 꿈이 생겼다. 나는 목소리 훈련에 너무나 흥이 오른 나머지, 마치 성우가 된 것처럼 일상생활에서 말하기 시작했다. 집에서 그리고 학교에서 습관화했다. 처음에는 내 말을 듣는 가족과 친구들이 어색해했지만 시간이 지나자 당연하게 받아들였다. 친구들이 이런 반응을 보였다.

"수향이 목소리는 어쩜 저렇게 성우와 똑같지. 쟤는 성우로 타고난 거 같아."

단지 목소리가 좋다고 반응하던 친구들이 이제는 나를 성우 같다고 말했다. 놀라운 변화였다. 성우가 되고 싶은 내 꿈이 점차 현실로

다가오는 것을 체험할 수 있었다. 성우가 되는 것이 불가능하지 않다는 자신감을 얻었다. 저절로 내 잠재의식이 이런 주문으로 프로그래밍되었다.

'나 오수향은 성우다.'

그러자 꿈이 너무나 빨리 실현되었다. 고등학교 2학년 때 내 목소리를 인정받아 MBC 〈별이 빛나는 밤에〉 학생 리포터로 선발되었다. 시간이 흐른 후에는 정말 성우로 활약할 수 있었다. 라디오 방송 프로와 상업광고 등 여러 분야에서 실력을 뽐냈다.

나중에는 그 이름만 들어도 누구나 인정하는 최고의 남자 성우 배한성 선생님과 함께 방송 활동을 하는 것은 물론 사회를 진행하는 영광을 얻었다. 대한민국 성우계의 대부 배한성 선생님이 나를 인정해준 셈이다. 이분은 내가 2014년에 〈선물〉 음반을 낼 때 피처링도 해주셨다. 이를 바탕으로 현재는 MC로도 탄탄한 입지를 다질 수 있었다.

마치 이루어진 듯이 말하라

영화감독 스티븐 스필버그$^{Steven\ Spielberg}$는 어릴 때부터 영화감독을 꿈꿨다. 그는 열일곱 살 때 자신의 꿈을 이루려고 새로운 시도를 했다.

영화감독처럼 행세하는 것이었다. 그는 영화감독처럼 옷을 차려입고 영화사를 들락거렸다. 이와 함께 영화감독처럼 근사하게 말했다. 그러자 사람들이 그를 영화감독으로 알고 그에게 영화 섭외를 했다. 이렇게 해서 그는 꿈에 그리던 영화감독이 되었다.

자기 계발 전문가 브라이언 트레이시$^{Brian Tracy}$는 성공한 사람처럼 행동하는 것이 성공의 비결이라고 하면서 세 가지를 당장 실행하라고 했다.

"첫째, 당신이 의도하는 바대로 크게 성공한 사람처럼 옷을 입고, 몸을 치장하고, 모든 면에서 그렇게 보이겠다고 지금 결심하라. 둘째, 당신 회사에서 가장 성공한 사람을 둘러보고, 그를 본보기로 따르라. 셋째, 정장을 벗은 사람에게 신경 쓰지 말고, 대신 오후 늦게 채용 면접을 보러가는 사람처럼 차려입으라."

《무지개 원리》의 저자 차동엽 신부의 주장도 마찬가지다. 성공한 사람처럼 생각하고, 목표를 달성한 것처럼 행동하면 우리에게 놀라운 일이 생긴다고 한다. 그는 이렇게 강조한다.

"마치 이루어진 듯이 행동하라."

1등과 2등의 차이는
말에서 나온다 ,

꿈을 이루는 말하기가 어떤 것인지 답이 나왔다. 자신이 꿈꾸는 사람처럼 말하는 것이다. 가슴 설레면서, 흥이 나서 성공한 것처럼 말하자. 오늘부터 당장 성공한 자신을 떠올리면서 성공한 것처럼 말하면 틀림없이 꿈이 이루어진다.

잘 들어주는
사람이
말도 잘한다

Chapter 02

가 장 중 요 한 대 화 의 기 술 은 경 청 이 다

묻고, 칭찬하고,
반응하라

⇌ 질문은 관심의 표현이다

"남편과 잘 소통할 수 있는 말하기 방법을 알려주세요."

"교수님, 어떻게 말하면 부모님과 대화를 잘할 수 있나요?"

말의 전문가로 이름이 알려지게 되면서 자주 듣는 질문이다. 이런
질문자 중에는 이미 말하기 컨설팅을 받은 이도 있다. 그런데도 현장
에서 손쉽게 소통을 이끌어낼 수 있는 말하기 노하우를 잘 모르는 경
우가 많다. 단순히 좋은 목소리를 내는 법이나 말 잘하는 테크닉 정도
만 습득하는 수준에 머물고 있기 때문이다.

이런 이유에서 오랫동안 컨설팅을 해온 경험을 살려, 누구나 쉽게 일상에서 실천할 수 있는 소통 테라피 공식을 만들었다. 다음처럼 매우 간단하다.

$$C = Q \times P \times R$$
소통 질문 칭찬 반응

'C'는 커뮤니케이션^{communication}, 곧 소통을 뜻한다. 이를 달성하기 위해서 필요한 것은 세 가지다. 먼저, 'Q'는 질문^{question}을, 'P'는 칭찬^{praise}을, 'R'은 반응^{reaction}을 뜻한다. 이렇듯 소통이 잘 되려면 질문과 칭찬, 반응이 갖추어져야 한다.

질문은 상대에 대한 관심의 표출이다. 따라서 질문이 소통의 기본이라고 할 수 있다. 상대에 대해 전혀 관심을 갖지 않는 소통이란 이루어질 수 없다. 상대에 대한 관심이 결여된 말하기는 마치 벽에 대고 혼자 말하는 것과 같다.

데일 카네기$^{Dale\ Carnegie}$의 《카네기 인간관계론$^{How\ to\ win\ friends\ and\ influence\ people}$》에서는 '사람의 호감을 얻는 방법 6가지 규칙'에서 '관심'을 강조한다. 규칙 1은 '상대방에게 진심으로 관심을 가져라'이며, 규칙 5는 '상대방의 관심사에 대해 얘기하라'다. 카네기의 자기 계발 이론에 큰 영향을 준 알프레드 아들러는 관심이 중요한 이유를 이렇게 말한다.

잘 들어주는 사람이 ●
말도 잘한다 ⁹

"타인에게 관심을 갖지 않는 사람들이 인생에서 가장 큰 고난을 당하며 타인에게 가장 큰 상처를 입힌다. 인간이 겪는 모든 실패는 이런 유형의 사람들로부터 발생한다."

가장 쉽게 상대에게 던질 수 있는 관심의 질문은 "이름이 뭐예요?"다. 이 질문은 상대에 대한 관심이 생기지 않으면 결코 나올 수 없다. 가수 포미닛의 노래 〈이름이 뭐예요?〉 가사 일부를 보자.

이름이 뭐예요?

몇 살이에요?

사는 곳은 어디에요?

이렇듯 상대에 대한 호감이 생길 때 저절로 나오는 것이 관심 어린 질문이다. 이 질문을 던지는 사람은 상대방과 사귀고자 하는 마음에 말을 건넨다. 상대에 대한 관심 어린 질문 없이, 막 바로 "술 한잔하자" "시간 좀 내달라" "우리 사귀자"를 내뱉는다면 작업이 제대로 먹힐 리 없다. 진정한 소통이 이루어지지 못한다는 말이다.

아파트 단지에서, 반상회에서도 질문이 중요하다. 결코 새초롬하게 앉아있는 것이 미덕이 될 수 없다. 이웃에게 먼저 "어느 동 사세요?"

"아이는 어느 학교 다녀요?" 등의 질문을 던질 때 이웃과의 관계가 급속도로 가까워질 수 있다.

무엇보다 부부 관계에서 질문은 사랑의 윤활유 역할을 해준다. 함께 오래 살다보면 사랑의 감정이 시들해지게 되고 그에 따라 대화도 적어지게 된다. 이를 그대로 방치하면, 파국으로 치달을 수 있다. 따라서 목적의식을 갖고 자주 상대방에게 관심 어린 질문을 해줘야 한다.

"머리했어?"

"회사 일이 잘 돼요?"

⇒구체적인 칭찬이 좋은 반응을 부른다

칭찬은 긍정적인 관계를 만드는 데 필수적이다. 《칭찬은 고래도 춤추게 한다*Whale done*》를 보면, 3톤이나 되는 범고래와 멋진 쇼를 연출하기 위해 최고의 훈련법으로 칭찬을 사용하는 것을 알 수 있다. 범고래는 연습하는 과정에서 실수를 많이 한다. 이때 실수에 집중해서 질책하지 말고 다른 방향으로 유도하고, 잘한 점에 초점을 맞추어 격려와 칭찬을 하라고 한다. 이렇게 함으로써 범고래와 조련사는 긍정적인 관계를 맺을 수 있으며, 범고래는 최상의 쇼를 선보이게 된다고 한다.

잘 들어주는 사람이 ●
말도 잘한다 ♪

칭찬은 특히 사람에게 즉각적이면서도 강력한 효과를 낸다. 한 대학 평생교육원에서 내가 맡은 강의에는 나이가 지긋한 어르신들이 많이 참석하신다. 평균 나이가 69.7세다. 자칫 분위기가 다운되면 좋은 강의를 진행하지 못할 수 있다. 이때 적절하게 사용하는 것이 칭찬이다.

"어르신 젊어 보이세요."

"피부가 어쩜 이렇게 좋으세요."

이에 대한 반응이 금방 나온다. 어르신들도 기분이 좋아져서 서로 대화를 나누고 농담을 하면서, 더 적극적으로 강의에 참가한다. 강의실에 화기애애한 분위기가 가득 차게 된다.

칭찬을 할 때 신체의 특정 부분을 지칭하면 더욱 효과가 높다. "눈썹이 짙으시네요." "피부가 아기 같아요." "요가 선생님처럼 몸매가 좋으시네요." 이와 함께, 상대방의 소유물인 넥타이, 셔츠, 안경, 구두 등을 가리키면서 칭찬을 하면 좋다.

칭찬은 누구나 쉽게 할 수 있다고 생각할지 모른다. 하지만 막상 칭찬을 하려고 해도 칭찬이 나오지 않는 상황이 번번이 발생한다. 가령, 엘리베이터에서 아기를 안고 있는 이웃 주부를 만났다고 하자. 그래서 아기를 지칭하면서 칭찬을 하려고 했다. 그런데 포대기에 싸인 아기는 태어난 지 얼마 안 되어서 특별히 예쁘게 보이는 구석이 없다.

차마 입 밖에 칭찬이 나오려야 나올 수 없다. 이런 일이 비일비재하다. 그렇다고 칭찬을 안 할 수도 없다. 그래서 필요한 것이 '칭찬 습관'이다. 그 어떤 악조건에서도, 스프링처럼 칭찬을 튕겨낼 수 있도록 습관화해야 한다는 말이다.

⇗신명나는 가락에는 맞장구가 있다

반응은 상대방의 말에 대한 경청에서 나온다. 이에 대한 대표적인 리액션으로 "아, 정말요?" 하는 맞장구를 들 수 있다. 누구나 이런 반응을 보이는 상대가 있다면 그와 더 오래 마음을 터놓고 대화하고 싶지 않을까? 토크계의 전설 래리 킹*Larry King*은 대화의 첫 규칙이 듣는 것이라고 하면서 이렇게 말했다.

"지금 상대가 하고 있는 말에 진심으로 관심을 보여라. 그러면 상대
방도 당신에게 그렇게 할 것이다. 훌륭한 화자가 되기 위해서는 먼저
훌륭한 청자가 되어야 한다."

대화가 잘 안 돼서 관계가 삐걱거리는 부부를 자주 보게 된다. 이

잘 들어주는 사람이 ●
말도 잘한다 ,

들의 공통점은 상대방의 말에 대한 맞장구가 부족하다는 것이다. 자신이 말을 많이 하고 상대는 그 말을 잘 듣기만을 원한다. 그래서 소통이 되지 않는다. 대화에는 '1-2-3 법칙'이 있다. 한 번 말하고, 두 번 듣고, 세 번 맞장구치라는 것이다. 소통 장애를 겪는 부부에게 필요한 것이 바로 이것이다. 경청하고 반응하라는 말이다.

양보다
질이 먼저

⇌ 하루 30분도 대화하지 않는 부부

"남편과 대화가 잘 안돼요. 절 무시하는 것 같아요."

"대화를 했다 하면 싸움이 나니까 대화를 기피하게 돼요."

40대 가정주부에게서 자주 듣는 말이다. 내가 그 나이 또래이기 때문에 누구보다 그 고충을 잘 알고 있다. 여성가족부에서 발표한 자료에 따르면, 40~50대 중년 부부의 대화 시간이 가장 적다고 한다. 하루 30분도 대화하지 않는 부부의 비율이 40대가 34.4퍼센트로 50대의 34.1퍼센트보다 더 많다고 한다. 대화 시간이 절대적으로 부족하다는

잘 들어주는 사람이 ●
말도 잘한다 ,

사실은 부부 사이의 소통이 원활히 이루어지지 못하고 있다는 것을 뜻한다.

우리 부부 또한 무척이나 대화 시간이 부족하다. 나는 대학 강의에 기업체와 교육청 특강, 그리고 각종 이벤트에서 사회 진행과 성우 활동을 하며 전국을 무대로 활약하고 있다. 로드 매니저를 옆에 둬야 할 정도로 매일같이 바쁜 나날을 보낸다. 이 때문에 늘 밤늦은 시간에 집으로 돌아와서 곧장 곯아떨어지기 일쑤다.

남편 또한 바깥일을 하고 있다 보니, 자칫 대화 부족으로 인해 갈등이 생기기 쉽다. 그런데 우리 부부는 지혜롭게 대처하고 있다. 무엇보다 남편이 솔선수범하면서 가사를 잘 돌보아주고 있다. 그러면서도 언제 한번 불만을 토로하지 않았다. 이와 함께 우리 부부는 소통의 말하기 공식 'C=Q×P×R'을 효율적으로 잘 사용하고 있다.

"당신, 이번에 승진 결과 어떻게 나올 거 같아?" 하고 내가 물으면, TV에 시선을 고정하던 남편이 내게 고개를 돌린다. 그러고는 겸연쩍은 표정으로 "큰 기대는 안 해" 하고 대답한다. 그러면 내가 "기회가 이번뿐인가. 이번이 아니면 다음번에 좋은 결과 얻으면 되지. 잘될 거야"라고 말한다. 그러면 남편이 빙그레 미소를 짓는다. 여기서 끝이 아니다. 나의 관심을 확인한 남편은 TV에 별 흥미를 못 느끼는지 내게 돌아앉아서 말한다. 평소 과묵하고 도통 말수가 없는 남편도 주저리주저리 그

동안 자기가 회사에 기여한 성과와 자신의 탁월한 역량을 풀어놓는다. 나는 가만히 들으면서 타이밍 적절하게 "정말?"과 "아, 그랬구나"를 연발한다. 그러노라면 남편은 속 이야기도 다 털어놓는다.

이렇게 해서인지 남편은 회사 일과 가사 분담에 대한 스트레스가 그다지 많지 않은 듯하다. 서로를 위하는 대화를 통해 상당 부분 해소되기 때문이다. 우리 부부는 맞벌이의 악조건을 소통 테라피 공식으로 잘 극복하고 있다.

최근 인구보건복지협회의 설문 조사 결과에 따르면, 40~50대 중년 부부의 대화가 부족한 첫 번째 원인이 직장 일이라고 한다. 그 다음으로 TV·컴퓨터·스마트폰 사용, 자녀 양육에 따른 부부만의 시간 부족, 대화 경험과 기술 부족 등의 순서다. 얼핏 보면, 중년 부부의 대화 부족은 시간 부족에서 생기는 것처럼 보인다. 내 관점에서 볼 때는 꼭 그렇지 않다. 왜냐하면 우리 부부의 경우 대화 시간이 극히 부족함에도 불구하고 원만한 소통이 가능하기 때문이다. 우리 부부에게는 대화의 기술, 곧 소통 말하기 공식이 있었다. 중요한 것은 시간이 아니라 대화 스킬이다. 부부의 행복한 관계에 윤활유 역할을 하는 대화 스킬이 몹시 중요하다.

대화 부족을 겪는 많은 부부들이 대화 기술의 중요성을 간과해왔다. 시간이 충분히 주어지고 일정한 조건만 갖추어지면 부부의 대화

잘 들어주는 사람이
말도 잘한다

부족은 금세 해결될 것이라는 생각은 오산이다. 절대 그렇게 쉽사리 대화가 샘물처럼 흘러넘치지 않을 것이기 때문이다.

대화의 긍정적 요소와 부정적 요소

2014년 국립국어원은 흥미로운 연구 자료를 내놓았다. 부부 사이에 대화의 시간이 많을수록 행복 지수가 높아지고, 역으로 대화가 적을수록 행복 지수가 낮아진다는 것이다. 이와 함께 대화의 긍정적 요소와 부정적 요소를 밝혔다. 다음과 같다.

대화의 긍정적 요소

서로 원하는 호칭을 사용하기, 집에 들어올 때 서로 인사하기, 서로 존댓말 사용하기, 서로 칭찬과 감사하는 말하기, 합의점을 찾기 위해 노력하기, 상대방 말을 끝까지 경청하기, 상대방이 말을 할 때 이해하는 반응을 보이며 듣기

대화의 부정적 요소

화가 나면 욕설이나 비속어 사용하기, 다른 사람과 비교하는 말하기, 곤란한 상황에서 거짓말하기, 화가 나면 쌓인 감정을 한꺼번에 표출하기, 상대방 얼굴을 보고 이야기하는 것이 불편함, 유머를 사용하

지 않음, 서로 비평과 지적하는 말하기, 자신의 공을 드러내는 말하기, 대화를 싸움으로 끝내기

우리는 이를 잘 숙지해 많은 시간의 대화를 가져야 한다. 〈대화의 긍정적 요소〉를 보면, 소통의 말하기 공식을 보는 듯하다. 여기에는 상대에 대한 관심, 칭찬, 반응이 잘 나와 있다. 이와 함께 〈대화의 부정적 요소〉를 잘 기억해서 반드시 피하도록 하자. 상대에게 칭찬을 못 해줄망정 욕설과 비속어를 사용하고, 다른 사람과 비교하는 말하기를 하면 결코 소통이 이루어질 수 없다.

"옆집 남자 승진했대."
[다른 사람과 비교하는 말하기]

"쥐꼬리 같은 월급으로는 뭘 할 수가 없어."
[비평과 지적하는 말하기]

"이번에 포상 휴가 받은 건 내 능력이 좋아서 그래."
[자신의 공을 드러내는 말하기]

"피곤한데 제발 그만해."
[대화를 싸움으로 끝내기]

잘 들어주는 사람이 ●
말도 잘한다 ,

대화가 절실한 것은 부부만이 아니다. 가족과 친구, 직장 동료처럼 자주 보는 사이에서도 소통으로 인한 어려움을 겪을 수 있다. 적당히 편하게 이야기해도 내 마음을 잘 알아주겠거니 여기기 때문이다. 〈대화의 긍정적 요소〉로 부부는 물론 가까운 사람과의 사이를 찹쌀떡처럼 착착 달라붙게 해보자. 다음처럼 말하다 보면 대화 시간이 저절로 많아질 것은 뻔할 뻔자다.

“회사 잘 다녀왔어요?”
[집에 들어올 때 서로 인사하기]

“여보, 고맙습니다.”
[서로 칭찬과 감사하는 말하기]

“정말 그랬어요?”
[서로 존댓말 사용하기]

“힘들죠? 이해해요.”
[이해하는 반응을 보이며 듣기]

듣기만 해도 졸린
말의 비밀

⇟ 수학 시간만 되면 졸렸던 이유

"학생들이 수업에 집중하지 않는데 고민이 이만저만 아닙니다."

"어떻게 하면 목이 쉬지 않고 장시간 수업을 할 수 있습니까?"

교육청과 교육연수원에서 강의할 때 선생님들이 묻는다. 내 자랑으로 비칠지 모르겠지만 교육청과 교육연수원에서의 내 강의 평가 점수는 매번 만점이고 앙코르 요청이 쇄도한다. 그래서인지 선생님들이 내게 많은 것을 기대하고 여러 가지 상담을 해온다. 선생님들은 내 강의처럼 자신의 수업 시간이 학생들에게 큰 호응을 얻기 바랐다.

잘 들어주는 사람이
말도 잘한다 ,

학창 시절을 돌이켜보면, 늘 학생들에게 인기 많은 수업을 하는 선생님이 있었던 반면 그렇지 못한 선생님도 적지 않았다. 문제는 선생님이 호응도 낮은 방식으로 수업을 진행하다 보면 그 과목에 대한 학생들의 관심이 떨어져 성적도 좋지 않게 나온다는 점이다. 그런데도 몇몇 선생님은 매너리즘에 빠져 수업 시간만 채우기에 급급한 경우가 있었다.

고등학교 때 수학 선생님이 기억난다. 그 선생님은 교실에 들어오면 학생들과 한 번도 눈을 마주치지 않았다. 학생들에 대한 관심이 전혀 없었다. 그래서 학생 단 한명의 이름도 기억하고 호명한 적이 없었다. 교탁에 선 후 내뱉는 말은 딱 하나다. "반장." 그러고는 등을 돌린 채로 칠판에 판서를 해나갔다. 판서한 것을 설명할 때는 또 어떤가? 선생님은 특유의 힘없고 단조로운 목소리를 내면서 무미건조하게 말을 이어갔다. 사람의 정감이라고는 하나도 느껴지지 않았기에 마치 녹음된 목소리를 들려주는 듯했다.

상황이 이렇다 보니, 수학에 관심 있는 소수의 학생들만 수업을 따라갔다. 그나마 조금이라도 수학을 잘 해보려고 했던 학생들은 금세 흥미를 잃고 나가떨어지고 말았다. 이렇게 해서 수학과 학생들의 사이는 점점 격차를 벌려갔다.

⇒듣는 이의 집중도를 높이는 말하기

이런 안 좋은 기억을 갖고 있는 사람이 어디 한둘일까? 그래서 나는 선생님들의 상담에 더 애정을 갖고 조언을 아끼지 않는다. 상당수 선생님들은 수업 준비 외에도 행정 업무, 학생 상담으로 늘 시간이 빠듯하다. 그런데도 자신의 수업이 학생들에게 한발 다가설 수 있길 바라며 기꺼이 변화하겠다는 의욕을 보인다. 이렇게 해서 많은 선생님들과 접촉한 결과, 꼭 필요한 말하기 노하우 3가지를 정리했다. 이는 다양한 분야의 강의와 프레젠테이션을 할 때 유용한 팁이니 반드시 기억해두자.

듣는 이를 재우지 않는 목소리를 내라

듣는 이를 재우는 목소리는 에너지와 변화가 없고 하나의 톤을 유지하는 목소리를 말한다. 또한 감정이 전혀 실리지 않은 목소리를 말한다. 누구나 이런 말을 단 10분만 듣고 있노라면 스르륵 눈꺼풀이 내려오고 만다.

학생들의 눈망울을 반짝반짝 빛나게 하기 위해서는 목소리에 세기, 리듬, 톤을 적절히 입히는 것이 필요하다. 보통 때는 평상시의 목소리를, 강조할 때는 큰 목소리를 내기만 해도 듣는 이의 관심도가 높아진다. 또한 느리게 할 때는 느리게, 빠르게 할 때는 빠르게 변화를 주자. 이와 함께 전달하는 콘텐츠에 따라 톤을 달리하자. "…일본에 의해 국권이 침탈되고 말았다"는 말을 할 때는 무겁고 침울한 어조를, "…1945년 이로써 광복을 맞았다"는 말을 할 때는 밝고 환한 어조를 사용해보자. 듣는 이의 몰입도가 훨씬 높아진다.

이런 변화 있는 목소리를 내려면 어떻게 해야 할까? 방법은 책을 읽으며 배우처럼 연기하는 것이다. 짧은 동화책을 들고 그 속의 등장 인물이 되어, 손짓 발짓을 하고 표정을 지으면서 낭독하자. 울고 웃고 화내는 등 감정에 따라 다양한 색깔의 목소리를 내보는 훈련을 하자.

목 관리를 잘하라

선생님들에게는 결코 아나운서처럼 빼어난 목소리가 요구되지 않는다. 다만 듣기에 거슬리는 목소리만 피하면 된다. 그런데 좋은 목소리를 갖고 있는데도 불구하고 잘 관리하지 못해 안 좋은 소리를 내는 경우가 있다. 실제로 여러 교사들이 장시간 많은 말을 하느라 각종 성대 질환을 앓고 있다. 성대결절이나 성대마비, 성대용종 등으로 인해 늘 목소리가 쉬거나 떨리고 갈라지는 일이 흔하다. 목 관리를 잘하려면 다음 여섯 가지를 유의해 짬짬이 실천하자.

1. 물을 많이 마셔라.

   - 수분이 성대 점막을 촉촉하게 유지해준다.

2. 술과 담배를 금하고 가능하면 카페인이 든 차도 자제하라.

   - 카페인은 성대를 건조하게 만든다.

3. 복식호흡을 하라.

   - 소리를 낼 때 성대에 부담을 줄일 수 있다.

4. 많이 웃어라.

   - 웃으면 성대가 풀어지게 된다.

5. 헛기침을 하지 마라.

   - 헛기침이 성대를 자극한다.

6. 건조하고 먼지 많은 환경을 피하라.

   - 이는 성대에 나쁜 영향을 미친다.

자상하게 경청하라

인기 드라마 〈응답하라 1988〉에 재밌는 일화가 나온다. 덕선이 수학여행을 갔다가 아버지의 귀한 카메라를 분실하고 만다. 그래서 덕선은 하늘을 향해 팔을 뻗고 "나 다시 돌아갈래" 하고 외친다. 이후 덕선은 가보를 잃어버린 것이 무서워서 못 놀겠다며 집에 돌아가야겠다

잘 들어주는 사람이 ●
말도 잘한다 ,

고 선생님께 떼를 쓴다. 이때 선생님이 나선다. 선생님이 덕선의 집에 전화를 건다.

"평생 한 번뿐인 수학여행인데 애가 혼날까봐 겁에 질려있습니다."

이렇게 선생님이 말하자, 아버지가 전화를 바꿔 덕선에게 말한다.

"괜찮아. 잘 놀고 와라."

이렇듯 선생님은 학생의 말을 잘 경청하는 자세가 중요하다. 만약 덕선이의 담임선생님이 덕선의 말을 경청하지 않았더라면 덕선은 일탈 학생으로 낙인찍히고 말 것이었다. 하지만 담임선생님의 자상함에 힘입어 덕선은 걱정을 털어내고 즐겁게 수학여행을 마칠 수 있었다. 선생님의 경청은 강압적인 지시와 훈계 이상의 효과가 있다. 상대의 고민과 걱정에 귀 기울이는 자세는 말하는 이와 듣는 이의 사이를 급속도로 가깝게 만든다.

마음을 사로잡는 말은
따로 있다

⇒ 공포의 대사 '오빠…, 나 뭐 달라진 거 없어?'

"남자 친구를 기분 좋게 하는 말이 뭐예요?"

"어떻게 말해야 여자 친구가 좋아할까요?"

간혹 대학생들이 이런 질문을 해온다. 이 질문에 대한 대답은 연애 컨설턴트가 잘할 듯하다. 하지만 '말'에 관한한 내 영역이 아닌 곳이 없기 때문에 그들에게 그때그때마다 팁을 알려주고 있다. 남성은 여성으로부터, 여성은 남성에게서 들으면 좋아하는 말과 말투가 분명히 있다. 이를 적절히 활용하면 누구나 연애 고수가 될 수 있다.

잘 들어주는 사람이 ●
말도 잘한다 ,

그런데 이를 무시하면 이성과의 교제가 잘 이루어지지 못한다. 최악의 경우, 아무리 미모가 뛰어나다고 해도 남자에게 차이기 십상이다. 예전에 나에게 상담을 요청했던 한 여성이 그랬다. 이십대 중반의 그 여성은 지방 미스코리아 진 출신이었다. 그녀에게는 따르는 남자가 많았다. 그런데 몇 개월을 못 버티고 다 떨어져나갔다. 그녀와 대화를 나누다 보니 성격이 크게 모난 점은 없어 보였다. 문제는 그녀의 말이었다. 그녀는 남자 친구에게 "이거 예쁘지"와 "나 달라진 거 없어?"라는 말을 자주했다고 한다. 진단이 끝난 후 처방을 해주었다.

"남자가 여자에게 듣기 싫어하는 말이 있어요. 그 가운데 두 가지가 '이거 예쁘지'랑 '나 달라진 거 없어?'에요. 이런 말은 남자 친구와의 교제에 방해가 돼요. 절대, 이런 말을 하지 않는 게 좋습니다."

그러고 나서 남자가 매우 싫어하는 여자의 말 네 가지를 알려주고, 이를 삼가라고 말했다. 다음과 같다.

1. "뭐가 미안한데?"
2. "오빠, 이거 예쁘지?"
3. "나 뭐 달라진 거 없어?"
4. "아무거나 좋아."

1번은 말꼬리를 잡는 발언이다. 남자는 여자에게 뭘 잘못 행동했는지 모르는 경우가 많다. 이를 무시하고 일방적으로 취조하듯이 늘어지면 남자는 몹시 곤혹스럽다. 2번은 남자에게 부담을 주는 말이다. 연애를 시작하는 남자는 여자에게 환심을 얻기 위해 무엇이라도 선물하고 싶어 한다. 그런 남자에게 이런 말은 곧 사달라는 말로 비쳐진다. 3번 말은 시험에 들게 하는 말이다. 여자와 달리 남자는 패션과 색상에 무덤덤하다. 그래서 여자가 색다르게 뭘 치장했는지 한눈에 알아보지 못한다. 4번은 '아무거나' 형이다. 주로 음식을 사주는 남자에게 여자가 자주 하는 말이다. 이 말의 이면에는 대충하지 말고 센스 있게 잘 맞추어달라는 의미가 숨어있다. 대부분의 남자는 이를 잘 캐치 못한다. 남녀 관계뿐만 아니라 어떤 인간관계에서든지 트집을 잡고 부담을 주는 말이 달가울 리 없다.

⇉ 매력을 어필하는 한 마디

그러면 남자가 좋아하는 여자의 말과 말투를 알아보자. 남자는 말과 함께 애교가 섞인 독특한 말투에 넘어간다. 가령 똑같은 말이라도 "응"이라는 것보다 "웅"이 더 남자의 가슴을 설레게 한다. 여성은 사랑스러운 말투로 남자의 마음을 쟁취할 수 있다. 남자가 좋아하는 여자의 말과 말투에는 어떤 특징이 있을까?

끝에 'o'을 붙인 말투

"뭐했어?" 보다는 "뭐했엉?", "잘 자!" 보다는 "잘 장!"이 어린아이를 연상시켜 더 귀엽게 느껴진다.

끝말을 늘어뜨린 말투

"자기야" 보다는 "자기야~", "고마워" 보다는 "고마워~", "사랑해" 보다는 "사랑해~"가 더욱 상냥하고 정감 있게 들린다. 단, 지나치게 남발하면 효과가 떨어진다.

맞춤법에 틀려도 귀여운 말투

"놀아줘" 보다는 "노라조", "사랑해" 보다는 "따랑해"가 더 매력을 어필할 수 있다. 이 또한 절제하면서 사용해야 한다. 그렇지 않으면 덜 떨어진 사람으로 보일 수 있다.

단어를 반복적으로 사용하는 말투

"미안" 하고 끝나는 것보다 "미안, 미안"이 좋고 "화 풀어" 보다는

"화 풀어, 화 풀어"가 좋다. 마치 아기들의 칭얼거림처럼 남자의 가슴을 녹아들게 한다.

발랄하고 귀여운 의성어

"치이" "흥" "어마나" 등의 말은 여성을 더욱 여성스럽게 만든다. 아름다움의 절정기에 있는 여성일수록 발랄하고 귀여운 의성어를 잘 연출한다.

여자 또한 남자에게서 들으면 좋아하는 말이 있다. 미국 버팔로 대학의 멜라니 그린*Melanie Green* 박사와 미국 노스캐롤라이나 대학의 존 도나휴 박사*John Donahue* 에 따르면, 여자는 멋진 외모를 가진 남자 친구보다는 말을 잘하는 남자 친구와 오랫동안 연애할 가능성이 높다고 한다. 그러면서 이렇게 말했다.

"여성은 말을 재미있게 하는 사람을 '인기 있고, 존경받으며, 좋은 리더가 될 것 같다'고 평가한다."

따라서 내 여자를 오래도록 가슴에 품기 위해서 여자들이 좋아하는 말을 잘 기억해두자. 여자가 좋아하는 말은 네 가지다.

잘 들어주는 사람이
말도 잘한다 **,**

공감을 만들어주는 맞장구

"힐!" "정말?" "웬일?" "무슨 일이니?" 이런 맞장구가 여성과의 친밀감을 더욱 높여준다. 이는 여성들 사이의 대화에서 자주 들을 수 있는데, 그만큼 이 멘트가 여성들의 정서적 유대감을 강하게 해준다는 것을 알 수 있다. 내 여자로 만들기 위해서라면 이 멘트를 잘 활용해야 한다.

하면 할수록 더 효과 높은 말

"예쁘다." "너는 보면 볼수록 예뻐지냐?" "오늘따라 예뻐 보인다." "너 이렇게 입으려면 내 앞에서만 입어." 이처럼 상황에 따라 다양하게 변형해서 마음을 표현해보자. 여자는 자신이 예쁘다는 말에 세상을 다 가진 듯 기분이 좋아진다.

힘들 때 위로해주는 말

"바보같이 왜 아프냐." "힘들었지?" "괜찮아? 걱정했어." 여자는 이런 말로 남자가 자신을 걱정해준다는 느낌을 받으면 고마워한다. 여성들에게 이 말은 든든한 지원군을 얻은 듯 뿌듯한 기분을 선사한다.

여자의 말에 계속 던지는 질문

무뚝뚝한 남자가 여자와 만나면 별로 할 말이 없다. 대화가 곧 끊어지기 일쑤다. 따라서 여자의 마음을 얻기 위해 여자가 하는 말에 관심을 갖고 질문을 던짐으로써 대화가 계속 이어지게 하자. 가령 "오빠, 내가 오늘 동아리에서 있잖아" 하면 "응, 동아리에서?"라고 하고, "토요일에 예진이를 만났는데" 하면 "예진이는 고등학교 동창이라면서?"라고 해보자.

잘 들어주는 사람이
말도 잘한다

20분에 한 번은
웃겨라

유머는 타이밍이다

소통의 방해 요소를 아는가? 대표적으로 딱딱한 상하 관계, 긴장된 분위기 그리고 반복되는 일상의 지루함을 들 수 있다. 이 방해 요소 때문에 일상과 조직 생활에서 소통이 잘 되지 않는다. 그렇다면 한 방에 방해 요소를 퇴치할 수 있는 비법은 무엇일까? 바로 유머와 칭찬이다.

어느 국회의원은 유머가 뛰어나다. 그는 모 방송에서 서슴지 않고 대통령을 향해 "지성적이고 우아하고 기품이 있다. 또 예쁘시고 가슴이 설렐 정도다"라고 하면서 "여보, 미안해"라고 말해 좌중의 웃음을 자아냈다.

한번은 국회 시정연설 직전에 대통령이 그 의원을 향해 말했다.

"역량이 대단하신 것 같다."

그러자 그 의원이 말했다.

"내가 비대해서 비대위원장을 또 하는 것 같다."

이 국회의원은 유머 있는 말로 대통령과 10년 가까이 좋은 사이를 유지하고 있다.

이처럼 유머는 딱딱하고 경직된 분위기를 풀고 소통의 윤활유 역할을 한다. 특히 대중 연설을 할 경우 '최소 20분에 한 번은 웃겨라'라고 권할 만큼 유머가 중요하다. 이는 대중으로 하여금 지루함을 없애고 집중도를 높여 기억력을 좋게 하기 때문이다.

흔히 유머를 말하기에 활용하라고 하면 콩트나 재미있는 UCC 등 시청각 자료를 사용하기도 한다. 하지만 제대로 효과를 보지 못하는 경우가 많다. 래리 킹은 저서 《대화의 신How to talk to anyone, anytime, anywhere》에서 유머를 방해하는 말 네 가지를 언급하고 있다. 이는 반드시 피해야 한다. 이런 말들은 너무나 상투적이고, 청중의 기대에 실망을 주기 십상이기 때문이다.

잘 들어주는 사람이
말도 잘한다

농담 한 마디 하겠습니다.

오늘 여기 오는데 재미있는 일이 하나 있었습니다.

농담이 하나 있는데, 들어보면 재미있을 겁니다. 진짜로 웃기는 이야
기에요.

농담 하나가 생각나는데, 들어본 사람도 있겠지만 해보겠습니다.

말하는 사람에게 유머 감각이 있으면 짧은 말 한 마디로도 즉각적
인 현장 반응을 얻어낼 수 있다. 사실 유머를 직업으로 한 개그맨들도
많은 시간 동안 연구하고 노력해서 감각을 기른다. 그런 만큼 일반인
이 단시간에 유머 감각을 기르기란 힘들다. 유머는 음식 같아서 먹어
본 사람이 맛있게 요리할 수 있다. 따라서 많은 관찰과 자료 섭렵 그
리고 웃는 경험을 통해 자연스럽게 코드를 습득할 수 있다. 그래야 모
두가 공감하는 유머를 발휘할 수 있다.

유머 감각을 익히기 좋은 방법은 많은 코미디 연극과 공연을 접하
는 것이다. 대학로에 가서 사람들이 많이 찾는 코미디 공연을 보고 마
음껏 웃어보자. 유머 감각이 없고 썰렁한 사람들의 공통점은 어디서,
왜 웃는지를 모른다는 것이다. 때문에 공연장에서 사람들과 함께 동
화되어 많이 웃다보면 유머 감각을 기를 수 있다.

그 다음으로 좋은 방법은 어린 아이들과 함께 TV를 보는 것이다.

아이들은 원초적인 자극에 즉각적으로 반응하기 때문에, 어렵고 난해한 개그 코드에는 웃지 않는다. 아이들과 함께 TV를 보며 웃다보면 어른부터 아이까지 모두 공감하는 웃음의 기본 포인트를 습득할 수 있다.

뭐니 뭐니 해도 유머는 타이밍이다. 따라서 아무리 웃긴 유머집을 구해 일화를 적고 외워도 타이밍을 놓치면 소용이 없다. 그것을 몸에 익혀서 자연스럽게 튀어나와야 대중의 호응을 얻을 수 있다. 자신의 몸에 맞는 유머 코드와 감각을 익혀야 즐거운 대화를 이끌 수 있다는 점을 꼭 기억하자.

아부에도 긍정적인 기능이 있다

"칭찬은 부하 직원의 동기를 자극하는 가장 좋은 방법이며 상사와 부하 직원 사이를 연결하는 매우 훌륭한 의사소통 방법이다. 사람은 누구나 칭찬받기 원한다. 상대방에게 관심을 가지면 그를 칭찬할 내용은 얼마든지 있기 마련이다."

세계적인 화장품 회사 메리케이의 대표 메리 케이 애시 *Mary Kay Ash* 의 말이다. 이 회사는 칭찬을 기업 문화로 정착시켰다. 이를 통해 작은 규

잘 들어주는 사람이
말도 잘한다 ,

모의 화장품 직판회사가 글로벌 기업으로 도약할 수 있었다.

소통의 윤활유 역할을 톡톡히 해내는 것이 칭찬이다. 특히 칭찬은 '갑'과 '을'의 수직 관계에서 비롯되는 긴장된 분위기를 완화하는 데 매우 효과적이다. 그런데 사람들은 대게 칭찬이 아부로 보일까 두려워하고 있다. 남의 비위를 맞추어 알랑거리는 것으로 오해받을까봐 그렇다. 하지만 아부에도 긍정적인 기능이 있음을 알아야 한다. 미국의 시인 랄프 왈도 에머슨*Ralph Waldo Emerson*은 말했다.

"아부를 싫어하는 사람은 없다. 아부란 자신의 비위를 다른 사람이 맞춰야 할 정도로 자기가 중요한 인물이라는 사실을 보여주기 때문이다."

본래 아부는 상대방을 세심히 관찰하고 여러 사람 앞에서 대놓고 칭찬하여 상대방의 가치를 높이는 행위다. 대상이 없는 자리에서 뒷이야기를 하는 사람은 있어도, 대상이 없는 자리에서 아부를 하는 사람은 없다. 따라서 대상과 친해지고 원만한 관계를 만들기 위해 기꺼이 아부도 할 수 있어야 한다. 또한 진심을 담은 아부는 곧 칭찬이나 다름없음을 기억하자.

칭찬을 잘하기 위해서는 먼저 대상에 대해 관심을 갖고 잘 관찰해야 한다. 단순히 보는 것에 그치지 말고 자세히 들여다봐야 한다. 그래야 비로소 진심을 담은 아부, 곧 칭찬이 나온다.

"언니 너무 예뻐졌어."

이런 말은 피상적인 칭찬이다. 듣는 사람에게 부담스럽고 잘 와 닿지 않는다. 대신 이렇게 해보자.

"언니 스카프가 너무 예쁘다. 어울리기 힘든 디자인인데 언니한테는 정말 잘 어울린다."

이렇게 특정 부분을 지칭한 칭찬이 가슴에 와 닿는다.

이와 함께 칭찬을 잘하기 위해서는 상대방이 처한 상황을 고려해야 한다. 취직 시험에 탈락한 이에게 "복이 많아 보시네요"라는 칭찬은 오히려 반감을 불러일으킨다. 요즘은 SNS의 발달로 상대방이 처한 상황을 손쉽게 알 수 있다. 댓글을 달고 '좋아요'를 누르는 것을 'SNS 아부'라고 부르는 신조어가 나올 정도로 상황에 따라 칭찬을 하기가 용이해졌다. 따라서 누군가에게 칭찬을 하고자 한다면, 반드시 상대가 처한 상황을 잘 파악하자.

마지막으로 칭찬을 잘하기 위해서는 구체적으로 표현해야 한다. 말은 글과 달리 찰나의 순간에만 생명을 가진다. 정확하고 구체적으로 칭찬해야 상대방이 알아듣고 반응한다. 추상적이고 애매하게 표현하면 상대방에게 잘 전달되지 않는다.

잘 들어주는 사람이
말도 잘한다

설득은 펀치로 시작해
터치로 끝난다

⇒ 10분의 프레젠테이션이 가져온 10표

에스키모에게 냉장고를 파는 일이 가능할까? 실제로 최신형 냉장고를 판 사례가 있다. 과연 어떻게 해서 가능했을까? 그 비결은 '설득'에 있다. 사람의 마음을 마치 스위치처럼 껐다 켰다 할 수 있는 설득력은 불가능을 가능으로 만든다.

더반의 기적으로 불리는 2018년 평창 동계올림픽 유치 성공도 마찬가지다. 당시 평창은 강력한 후보 도시인 뮌헨과 치열한 접전을 펼치고 있어서 승리를 예단할 수 없었다. 하지만 투표 결과, 평창이 뮌헨

보다 두 배 넘는 지지를 얻어냈다. 이런 놀라운 결과가 나올 수 있었던 데는 프레젠테이션의 역할이 컸다. 짧은 프레젠테이션이 10표 이상을 끌어온 것이다. 이렇게 놀라운 기적을 일군 비결은 무엇일까? 바로 설득의 말하기다. 프레젠테이션에 설득의 말하기를 탑재했기에 많은 사람의 마음을 움직일 수 있었다. 동계올림픽 유치 위원회 나승연 대변인은 이렇게 말한다.

"가장 먼저 해야 할 것은 전달하고자 하는 내용을 완벽하게 숙지하는 것이다. 그래야 남을 설득시킬 수 있다. 그러고 나서는 청중을 정확하게 파악하여 그들이 듣고자 하는 언어와 방법으로 나의 메시지를 포장하고, 그것을 효과적으로 전달하여 공감을 얻어내고, 그리고 마지막으로 열정을 더해서 청중의 가슴을 움직여야 설득할 수 있다."

설득의 중요성은 두말할 필요가 없다. 그 요령은 전문가마다 조금씩 다르지만 전체적으로 보면 대동소이하다. 나승연 대변인의 말처럼, '공감'과 '청중의 가슴 움직이기'는 매우 중요하다. 여기에다 그녀는 구체적인 비법을 하나 더 덧붙였다. 참신한 오프닝 멘트로 청중을 사로잡으라는 것이다. 이러한 설득의 노하우는 평소 내가 강조하는 것과 동일하다.

잘 들어주는 사람이
말도 잘한다

⇒ 마무리 멘트는 결심을 내리게 하는 장치

다음은 여러 전문가의 설득 요령 가운데 핵심을 추린 것으로 강력한 효과를 발휘한다.

$$P = P \times S \times T$$
설득　펀치　공감　터치

맨 앞의 P는 설득^{Persuasion}이고, 다음 P는 펀치^{Punch}, S는 공감^{Sympathize}, T는 터치^{Touch}다. 영업자나 프레젠터, 협상가 그리고 직장인이 타인으로부터 원하는 것을 얻는 설득에는 이 세 가지가 있음을 잊지 말자.

펀치는 오프닝에서 빵 터뜨리는 것이다. 모르는 사람들이 처음 만나게 되면 서로 경계하고 탐색하게 된다. 이러한 경직된 분위기에서는 목적하는 설득을 이루어내기가 무척이나 힘들다. 처음부터 본론으로 들어가면 백이면 백, 다 실패하고 만다. 아무도 상대방의 말에 귀기울이지 않기 때문이다. 그래서 화기애애한 분위기를 만들어주는 것이 필요하다. 이때 가장 효과적인 게 질문이다.

"오늘 봄 날씨 좋죠?"
"취직 때문에 고민 많으시죠?"

"노후 대책 세우기 힘드시죠?"

이런 질문은 상대방에게 호기심을 유발한다. 또한 질문받은 상대
방은 마치 동네 이웃이나 선배, 친지를 만난 듯 쉽게 가슴을 열기 마
련이다. 대표적으로 여성들이 대화를 시작할 때, "내가 어제 뭐 했는
지 알아?"라고 질문을 던지는 것과 같다. 이는 "내가 어제 뭐 했는지
궁금하지?" 하면서 이제부터 내가 하는 이야기를 잘 들어보라고 이야
기하는 것이다.

평범한 질문에서 벗어나 도발적인 이야기를 꺼내볼 수도 있다. 가
령 이런 식이다.

"여러분과 같은 보통의 미국인 320명이 왜 먹는 음식 때문에 매일
죽어나가고 있을까요?"
"애플은 왜 혁신적인 기업입니까?"
"질문 하나 하겠습니다. 여러분에게 잊지 못할 올림픽 경험이 있다면
어떤 것이었나요?"

공감은 상대의 마음과 하나가 되는 것이다. 타인에게 나의 감정, 의
견, 주장을 말하고 동조를 끌어내기란 쉽지 않다. 나의 슬픔과 기쁨을

타인에게 전달하기 위해서 윤리적인 당위성을 강조하는 것은 아무 소용이 없다. 타인에게 나의 슬픔과 기쁨은 강 건너의 불일뿐이다. 전혀 감동의 울림이 없다.

방법은 하나다. 자신의 진솔한 이야기를 꺼내는 것이다. 세계적으로 유명한 TED 강연에서 성공 확률 100퍼센트를 기록한 오프닝 멘트가 있다. 그 답은 사적인 이야기라고 한다. 개인의 진솔한 이야기가 청중으로부터 공감을 얻을 수 있기 때문이다. 나 또한 마찬가지다. 여러 강의와 특강에서 자주 하는 레퍼토리가 있다.

"저는 기찻길 옆 오막살이 소녀였습니다. 집 근처에 기찻길이 있어서 밤낮으로 기차 소리가 들려왔죠. 부모님은 신발공장에 다니셨기에 집안 형편은 좋지 못했어요. 저는 꿈 없이 자라던 아이였습니다."

이런 이야기를 서두에 꺼내면 청중석에서 반응이 즉각적으로 온다. 스마트폰을 들여다보고, 옆 사람과 이야기를 하고, 하품을 하던 이들이 눈을 반짝인다. '잘나가는 유명한 강사로 알았는데 이게 웬걸' 하는 식이다. 그러면서 저 사람도 한때 고난과 역경이 있었구나, 그걸 극복해 이 자리에 섰구나, 하는 생각을 하며 마치 흥미진진한 드라마를 접한 듯 호기심을 갖고 내 말을 경청한다.

터치는 감정을 건드리는 것이다. 오프닝에 빵 터뜨리고 그 다음 공감을 얻어낸 후 마지막에 필요한 것이 터치다. 감정을 건드려야 상대방이 비로소 설득당하게 된다. 이 단계에서 상대방은 망설이지 않고 마음을 굳혀 행동에 옮기게 된다.

영업을 예로 든다면, 이 단계에서 고객이 상품을 구매하겠다고 마음의 결정을 내린다. 따라서 상품을 구매하도록 동기부여를 하고 지금 구매하지 않으면 후회된다는 점을 부각시켜야 한다.

"저렴한 비용으로 건강을 확실히 챙길 수 있어요."
"마감 10분 전입니다."

청중을 대상으로 한 말하기는 어떨까? 이 단계에서 청중으로 하여금 마음의 결정을 이끌어내야 한다. 앞에서 언급한 나승연 대변인의 '청중의 가슴 움직이기'가 곧 터치, 감정 건드리기다. 다음과 같은 멘트로 대미를 장식할 수 있다.

"자, 이제 오늘 우리의 여행이 끝나갑니다. 그리고 여러분의 놀라운 미래가 지금부터 시작될 것입니다."
"이제 여러분이 저의 제안에 결정 내릴 차례입니다."

잘 들어주는 사람이 ●
말도 잘한다 ✎

어디서든 통하는
설득의 기술

⇉ 내성적인 사람도 설득의 왕이 될 수 있다

GS홈쇼핑에서 신입 쇼핑호스트를 대상으로 2년간 강의할 때였다. 이곳에서 2년이나 외부 강사가 트레이닝을 맡는 것은 이례적인 일이었다. 몇 달 버티지 못하고 나가떨어지는 경우가 비일비재했다. 수백 대 일이라는 치열한 경쟁률을 뚫고 입사한 그들은 다들 상당한 말하기 역량을 갖고 있었다. 그들은 아나운서라고 해도 손색이 없을 정도였다.

그런 그들을 전담해서 강의하는 것은 결코 만만한 일이 아니었다. 그들로부터 호평을 받지 못한다면 쇼핑호스트 트레이너로서 자격이 없는 셈이었다. 강사 자신도 쇼핑호스트로부터 인정받지 못하는데 어떻게 쇼핑호스트들에게 고객을 사로잡는 비결을 가르칠 수 있을까? 그건 어불성설이다. 그래서 평소보다 몇 배 더 공부하고 연습하고 강의를 준비했다.

내가 주안점을 둔 것은 '설득력 있게 말하기'다. 쇼핑호스트의 궁극적인 목표는 고객의 마음을 움직여 상품을 구매하게 유도하는 것이기 때문이다. 아나운서처럼 화려한 언변은 필요하지 않다. 호감 있는 말로 고객을 설득하는 게 중요하다.

세계적인 보험왕 폴 마이어*Paul Meyer*. 집안 형편이 어려워 대학을 중퇴한 그는 생계를 위해 보험 업계에 뛰어들었지만 내성적인 성격에 말을 더듬는 증상이 있어서 영업 실적이 초라했다. 그는 매일같이 거울 앞에서 말하기 훈련을 했다. 마치 고객 앞에 있는 것처럼 세일즈를 반복했다. 그런 끝에, 그의 어눌한 말이 호감 있는 말로 변했다. 그는 만인을 설득할 수 있게 되었고 30대에 억만장자 보험왕이 되었다.

⇒호감을 높이는 네 가지 주문

특별히 신입 쇼핑호스트들에게 강조한 것은 '스피치 선서'다. 모두 네 가지인데, 이를 큰 목소리로 외치게 했다. 물론 하나하나의 의미를 잘 숙지시켜주었다. 이 스피치 선서를 통해 신입 쇼핑호스트들의 말하기가 만인을 설득할 수 있는, 호감 있는 대화로 변해가는 모습을 발견할 수 있었다. 이는 비단 전문 쇼핑호스트에게만 유용한 기술이 아니다. 면접을 앞둔 대학생, 직장인, 회사 임원, 다양한 분야의 영업자들에게도 활용 가치가 높다. 시간이 날 때마다 거울 앞에 서서 다음의 스피치 선서를 외쳐보자. 그리고 이대로 하루하루 자신의 말을 변화시켜보자.

- 나는 미소 지으며 인사하고 말한다.
- 나는 정확한 발음으로 바라보며 말한다.
- 나는 자신감 있게 분명하게 말한다.
- 나는 내용에 맞게 표정과 몸짓을 바꾸어 말한다.

'나는 미소 지으며 인사하고 말한다'를 보자. 연구 실적이 탁월한 모 교수가 있었다. 그는 대중에게도 많이 알려진 책의 저자였다. 그런데 학교에서 그의 강의는 반응이 좋지 않았다. 그는 눈을 추켜 뜨면서 한쪽 입꼬리를 올리는 습관이 있었다. 학자로서는 나름대로 개성적인 인상이었지만 수업을 듣는 학생들에게는 문제가 있어보였다. 차갑고 매섭게 느껴지기 때문이었다. 그 교수는 미소의 중요성을 미처 깨닫지 못해서 대중적인 커뮤니케이션에 문제가 생긴 경우다.

미소의 중요성은 아무리 강조해도 지나치지 않는다. 미시간 대학 심리학과의 제임스 V. 맥코넬*James V. McConnell* 교수는 미소에 대해 이렇게 말한다.

"미소를 지을 줄 아는 사람은 경영이나 가르치는 일이나 세일즈를 보다 효과적으로 할 수 있으며, 아이를 더욱 행복하게 기를 수 있다. 찡그린 얼굴보다 미소 띤 얼굴이 더 큰 의미가 있다."

또한 프랑스 브르타뉴 쉬드 대학 사회인지심리학 교수 니콜라 게겐*Nicolas Guéguen*은 저서《소비자는 무엇으로 사는가?*100 petites experiences en psychologie du consommateur*》에서 흥미로운 실험 결과를 소개하고 있다. 바에서 고객이 음료수를 시키면, 젊은 여성 종업원이 미소를 지으며 음료수를 가져다주도록 했다. 그러자 그 여성 종업원은 그렇지 않은 여성 종업원에 비해 세 배 많은 팁을 받았다고 했다. 이와 함께 게겐 교수는 가능하면 더 환하게 웃는 것이 효과적이라고 말했다.

이와 함께 인사를 빼놓지 말자. 영국의 극작가 버나드 쇼*George Bernard Shaw*는 내성적이고 소극적인 아이여서 사람 만나기를 꺼려했다. 그는

잘 들어주는 사람이
말도 잘한다

변화하기 위해 사람들에게 인사를 시작했다. 그러자 그는 점차 밝고 적극적인 성격으로 변했다. 사람들도 그를 좋아하게 되었다. 미소와 인사는 대인 관계를 열어주는 촉매임을 잊지 말자.

⇒ 이순신 장군이 자신의 죽음을 알리지 말라고 한 까닭

'나는 정확한 발음으로 바라보며 말한다'를 보자. 배우 최지우와 권상우는 외모면 외모, 연기면 연기 무엇 하나 나무랄 데 없다. 옥에 티가 하나 있다면 발음이다. 혀 짧은 듯 받침을 빼고 발음하기 때문에 우스꽝스러운 소리를 낸다.

"사라은 돌아오는 거야."

"시짱님 부탁해요."

이렇듯 부정확한 발음으로 인해 한때 논란이 되기도 했다. 잘못된 발음으로는 대사의 의미가 잘 전달되지 않는다. 그래서 그들의 연기력에 치명타가 된다. 일반인에게도 마찬가지다. 부정확한 발음으로는 정상적인 커뮤니케이션을 할 수 없다.

발음을 잘 내기 위해서 어떻게 하면 될까? 나는 EXID의 '위 아래, 위 위 아래, 위 아래, 위 위 아래, 위 아래, 위 위 아래'를 권한다. 이 노래 가사처럼 위아래 입술을 자주 움직여주면, 정확한 발음을 내는 데 많은 도움이 된다.

이와 함께 상대방을 바라봐야 한다. 시선을 천장이나 유리창에 두면 상대방이 자신에게 관심 없는 것으로 오해할 수 있다. 만약 시선을 맞추기 힘들다면 상대방의 미간이나 콧등, 이마를 봐도 좋다. 눈을 잘 마주치면 면접 시 면접관으로부터 긍정적인 평가를 받을 수 있다.

'나는 자신감 있게 분명하게 말한다'를 보자. 칭찬을 할 때도 자신감 있게, 인사를 할 때도 자신감 있게 해야 효과를 볼 수 있다. 자신감이 결여된 칭찬, 인사는 마치 영혼이 결여된 것과 마찬가지다. 이는 단팥 없는 단팥빵인 셈이다. 특히나 다수의 사람들 앞에서 말할 때는 더욱 자신감이 중요하다. 겸손으로라도 "내가 부족한 면이 많습니다" "자료가 대단하지 않지만" 같은 말은 삼가야 한다.

"나의 죽음을 적군에게 알리지 말라"는 이순신 장군의 말을 기억하는가? 이처럼 이기기 위해서는 자신의 부족함을 절대 밝히지 말아야 한다. 없는 것도 있는 것처럼 자신감을 갖고 분명히 말해야 상대에게 먹힌다.

'나는 내용에 맞게 표정과 몸짓을 바꾸어 말한다'를 보자. 부모가 아이들에게 말할 때를 떠올려보면, 반드시 그에 맞는 표정과 몸짓을 한다. "우리 아들 잘했어" "딸, 예뻐"라는 말을 내뱉을 때 엄마는 아이의 머리를 쓰다듬어주거나 등을 토닥여주고 궁둥이를 통통 두드려주기도 한다. 아이에 대한 지극한 애정을 표현하기에 말로는 부족해 표정을 짓고 몸짓을 한다.

이렇듯 자신의 말에 진정성이 담기기를 바란다면, 그에 맞는 제스처를 하자. 즐거운 내용을 말할 때는 환하게 웃고, 신념이 강할 때는 두 주먹을 불끈 쥐어보자. 미국의 비언어 의사소통 전문가 토니아 레이맨*Tonya Reiman*은 《왜 그녀는 다리를 꼬았을까*The Power of Body Language*》에서 이렇게 말했다.

"자신의 언어 패턴과 비슷한 절도 있는 제스처를 사용하는 사람에게는 알 수 없는 권위가 느껴지고, 풍부하고 새로운 사고를 하는 유창한 달변가처럼 보인다. 고객에게 물건을 팔려는 세일즈맨은 그 분야의 전문가임을 보여주기 위해서 권위가 느껴지는 손짓을 때때로 취할 필요가 있다."

원하는 것을 얻어내는
협상의 노하우

⤳ 협상의 핵심은 '양보'에 있다

993년, 거란의 소손녕이 80만 대군을 이끌고 고려를 침략했다. 거란은 고려에 항복을 요청했다. 고려 조정에서는 이북 땅을 거란에 넘겨주고 강화를 맺자는 주장이 나왔다. 이때 서희 장군이 나섰다. 그는 목숨을 걸고 적지로 들어가 담판을 벌였다. 소손녕이 '고구려의 옛 땅은 거란의 영토인데 왜 고려가 거란의 것을 차지하려고 하느냐'고 따졌다. 그러자 서희가 말한다.

"우리 고려는 고구려를 계승한 나라요. 그래서 국명을 고려라 하지

잘 들어주는 사람이
말도 잘한다 **,**

않았소? 그러니 거란 땅 일부가 분명히 우리의 땅임에 틀림이 없소."

소손녕이 이에 질세라 '왜 바다 건너 송나라하고만 교류를 하느냐'고 묻자 서희가 지도를 꺼내며 말한다.

"여기 보이듯이 여진이 가로막고 있기 때문이오. 우리는 결코 거란을 싫어하는 게 아니오."

소손녕은 서희의 뛰어난 언변과 담력에 감복한 나머지 자진해서 철수했다. 이후 고려는 여진을 몰아내 평북 일대의 국토를 회복했다.

협상가를 논할 때 빼놓을 수 없는 우리 역사의 인물 서희 장군 이야기다. 서희 장군은 적장과의 협상을 통해 피 한 방울 흘리지 않고 원하는 것을 얻어냈다. 소손녕 또한 전쟁을 치르지 않아도 될 명분을 얻었다. 전쟁의 승리는 함부로 장담할 수 없기에 그에게도 이득일 수밖에 없다. 이 이야기는 '협상의 힘'이 얼마나 대단한지를 잘 보여준다.

협상은 '어떤 목적에 맞는 결정을 내리기 위해 여러 사람이 서로 의논한다'는 의미를 가지고 있다. 협상은 누구나 일상 그리고 직장 생활에서 자주 겪는다. 가정주부의 경우 쇼핑할 때 구매 결정을 하기 위해 협상을 한다. 예를 들어, 신형 세탁기를 구매하고자 하는데 원하는 가격보다 비쌀 경우 가격을 낮추기 위해 협상을 한다. 소비자는 최대한 가격을 깎아서 구매하고 싶지만, 판매자는 최대한 깎지 않는 선에서 거래하고자 한다. 이 경우 협상의 관건은 세탁기의 가격이다.

그러면 어떻게 협상해야 할까? 무조건 가격을 깎아달라고 요구한다면 이 협상은 결렬될 수밖에 없다. 양자 간에 양보할 수 있는 만큼 양보하고 적당한 합의점을 찾아야 서로 손해 없이 만족스러운 거래를 할 수 있다. 이때 현명한 구매자라면 본인에게는 중요하지 않지만 판매자에게는 필요한 것을 양보하는 방법이 있다.

"만약 가격을 깎아준다면 세탁기를 구매하기 원하는 지인들을 소개할게요."

이렇게 한다면 판매자에게는 많은 고객을 유치할 수 있는 이점이 생긴다. 그래서 판매자는 흔쾌히 가격을 깎는 것에 동의할 수 있다. 구매자는 싼 가격에서 사서 좋고, 판매자는 새로운 고객을 유치해서 좋은 것이다. 이렇듯 협상은 한쪽이 일방적으로 양보하지 않고 서로 주고받는 것이 있을 때 이루어진다.

직장인들의 경우 연봉 결정을 놓고 종종 협상을 벌인다. 직원은 연봉을 조금이라도 높이려고 하고 이에 반해 회사는 조금이라도 낮추려고 한다. 이 때문에 팽팽한 기 싸움 속에서 서로 간의 합의점을 도출해야 한다.

이때 직원에게 도움이 되는 방법이 있다. '하이 앤 로우*high and low*'다. 보통 사측에서 희망 연봉을 먼저 물어보는 경우가 많다. 그런데 먼저 금액을 제시하는 쪽이 불리하기 때문에 이럴 때는 어느 정도까지 연

잘 들어주는 사람이 ●
말도 잘한다 ’

봉을 올려줄 수 있는지 물어보는 것이 좋다. 만약 사측에서 최소 수준의 금액을 제시한다면, 조금씩 높여가며 연봉 협상을 진행할 수 있다. 이 방법이 가능하지 않다면 원하는 연봉보다 더 높은 금액을 제시한 뒤 조금씩 낮춰가며 희망 연봉에 가깝게 맞춰야 한다. 이것이 '하이 앤 로우' 연봉 협상 방법이다.

⇒ 밀고 당기는 협상의 기술

"협상은 인생의 게임이다. 서로의 이견과 갈등을 조정하고, 분쟁을 해결하며, 안정적이고 조화로운 관계를 만들려고 시도할 때마다 우리는 협상이라는 게임을 하게 된다. 진실로 협상은 인간관계의 원동력이다."

세계적인 협상가 허브 코헨*Herb Cohen*의 《협상의 법칙*You Can Negotiate Anything*》에 나오는 말이다. 협상은 주어진 역량을 최대한 발휘해 값진 결과물을 얻을 수 있는 소중한 기회다. 그러면 다음의 '원하는 것을 얻어내는 협상 노하우 5'를 참고해, 매번 맞닥뜨리는 협상에서 원하는 것을 잘 얻어내길 바란다.

기선제압

협상을 할 때 상대방과의 기 싸움이 가장 중요하다. 서희 장군이 소손녕과 담판을 할 때였다. 적장 중 한 명이 서희 장군에게 소손녕 앞에서 무릎을 꿇으라고 했다. 서희 장군은 '이는 외교 법도에 어긋난다'며 거부하는 배포를 보였고, 거란과 일대일 대등한 입장에서 협상하고자하는 기개를 드러냈다. 이런 당당한 태도는 협상에서 무척 중요하다. 이와 함께 원하는 바를 얻지 못한다면 협상을 거절할 수 있다는 뜻을 밝히는 것도 때로는 도움이 된다. 또한 끊임없이 다른 대안들과 비교하고 있음을 보이면 협상의 우위에 설 수 있다.

시간끌기

협상을 할 때 대답을 미루면서 시간을 끌면, 상대방이 빠른 대답을 촉구하기 위해 양보하는 경우가 많다. 시간을 끌면서 협상의 근거를 마련하고, 상대방이 양보하도록 하자. 하지만 시간 끌기가 경우에 따라서는 독이 될 수 있다는 점을 유념해, 이 방법이 필요한지 정확한 판단을 내려야 한다.

하이앤로우

협상은 끊임없이 합의점을 찾기 위해 논의하는 과정이다. 따라서

잘 들어주는 사람이
말도 잘한다

원하는 조건보다 더 높은 조건을 제시한 다음 조금씩 양보하면서 기존에 원했던 조건에 합의점이 맞춰지도록 하자.

키맨 피하기

본인은 키맨*keyman*, 즉 핵심 인물이 아니며 결정권이 없다는 대답을 통해 시간을 벌고, 결정을 촉구하기 위해 양보를 권유하며 유리한 조건을 제시할 수 있다. 상대의 입장에서 볼 때 모름지기 최종 결정권자가 불확실하면 많은 시간과 비용을 들여야 하며 협상 과정이 쉽지 않아지므로 원하는 바를 양보할 가능성이 높아진다.

긍정의 마인드

협상의 끝은 긍정적인 생각이다. 긍정적인 마무리는 다음 협상에도 좋은 결과를 불러온다는 것을 잊지 말자. 연봉 5천만 원의 직원이 연봉을 6천만 원으로 올리고 싶어했지만 5,500만 원으로 협상했다고 하자. 이 경우, '500만 원 더 못 받았어' 하는 것보다는 '기존 연봉보다 500만 원 더 받았어' 하는 것이 좋다. 감사하는 마음으로 일을 해 좋은 평가를 받음으로써 다음 해에 더 높은 연봉을 받을 수 있다.

토론의 기본은
경청

"토론 잘하는 기술을 알려주세요."

"효율적인 토론 방법이 있습니까?"

근래 토론 노하우에 대한 직장인의 문의가 많다. 특히 IT 벤처 쪽이 그렇다. 아무래도 이 분야가 경직된 조직과 정형화된 사고에 얽매이는 것을 꺼려하기 때문이다. 획기적인 신기술과 상품 개발을 위해서는 기존의 사고를 뛰어넘는 독창적인 아이디어가 필요하다. 그래서 여러 직원과의 자유로운 토론이 요구된다고 본다.

잘 들어주는 사람이 ●
말도 잘한다 ,

페이스북은 토론의 가치를 알아보고, 토론 문화를 기업의 성장 동력으로 승화시켰다. 핵카톤^{Hackathon}이 그 결과다. 이는 해킹^{Hacking}과 마라톤^{Marathon}의 합성어로 고정관념을 깨뜨리고 새로운 가치를 만드는 '끝장 토론'을 의미한다. 마크 주커버그$^{Mark\ Elliot\ Zuckerberg}$가 만든 말이다. 이 핵카톤을 통해 페이스북은 천재 기술자의 모든 역량을 집결해 새로운 아이디어를 도출함으로써, 세계적인 소셜 네트워크 서비스 기업으로 발돋움할 수 있었다.

유대인이 세계를 이끌어가는 이유도 토론에 있다. 미국 아이비리그 대학생의 25퍼센트, 그리고 하버드 대학생의 30퍼센트가 유대인이다. 게다가 노벨상 수상자 22퍼센트가 유대인이다. 여기에는 그들의 토론 교육법 '하부루타^{Havruta}'가 큰 기여를 하고 있다. 토론 속에서 질문하고 생각하는 동안 두뇌 가동력이 최고치로 높아지기 때문이다.

토론은 여러 사람이 한 가지 공통 주제를 놓고 각자의 의견을 말하며 자기주장이 옳음을 밝혀나가는 말하기다. 반드시 토론하는 양쪽은 의견에 차이가 있어야 하고, 객관적이며 사실적인 의견을 바탕으로 상대방을 설득하기 위해 주장을 펼쳐야 한다.

원활한 토론을 위해서는 사회자와 찬성 토론자 및 반대 토론자, 판정인 등을 정해야 한다. 그 다음 토론이 진행된다. 이때 사회자의 진행에 따라서 찬성 토론자와 반대 토론자가 번갈아가며 주장에 대한 논거를 제시한다. 이렇게 해서 토론이 끝나면 판정인이 결과를 판정한다.

흔히 토론과 논쟁을 혼동하는 일이 있다. 논쟁은 말 그대로 서로 다른 의견을 가진 사람들이 각자의 주장을 펼치면서 다투는 것을 말한다. 논쟁에서는 누가 옳고 그른지 가려지지 않는다. 이와 달리 토론은 일정한 규칙 아래 진행되어 어느 한 주장이 옳음을 밝히는 말하기다. 따라서 토론은 상대방의 주장을 듣고 나의 주장을 표출해 하나의 공통분모를 찾아내는 것이 중요하다.

따라서 토론 참가자에게는 기꺼이 상대방의 입장을 수용할 자세, 곧 설득당할 자세가 있어야 한다. 이에 대해 쇼펜하우어*Arthur Schopenhauer*는 《논쟁에서 이기는 38가지 방법*The Art of Always Being Right*》에서 이렇게 말했다.

"닥치는 대로 아무하고나 토론을 벌여서는 안 되며, 자신이 잘 알고 있고, 결코 이치에 맞지 않는 주장을 않으며, 어쩔 수 없이 그랬을 경우 매우 창피하게 여길 만큼 충분히 이성적인 사람하고만 토론을 해야 한다. 그리고 권위로 내리누르지 않고 근거를 가지고 논쟁을 벌이면서 상대방의 합리적인 근거에 대해서는 귀를 기울이고 그것에 동의할 수 있는 사람, 진리를 높이 평가하고 상대의 입에서 나온 것이라 할지라도 정당한 근거에 대해서는 기꺼이 받아들이는 공평무사한 사람, 마지막으로 상대방 주장이 진리라는 판단이 서면 기꺼이 자기주장의 부당함을 인정하는 고통을 참을 수 있는 사람하고만 토론을 벌여야 한다."

⇒싸우지 않고도 이기는 '경청'의 방법

나는 독서 토론이나 인문학 수업을 들을 때 토론으로 게임하는 것을 좋아했다. 게임의 방법은 A와 B라는 주제를 정하고, 즉석에서 팀을 뽑아 주장을 도출하는 것이다. 따라서 자신의 생각과 다른 팀에 뽑혔을 경우에는 그 주장을 펼쳐야 했다. 이 과정을 통해 다양한 관점으로 생각하는 방법을 훈련하게 되었고 결과적으로 토론 기술이 향상되었다.

예를 들어, 보건부 신설이 필요하다는 주장과 그렇지 않다는 주장으로 토론을 한다고 하자. 나 자신은 보건부 신설이 필요하지 않다고 생각할지라도 '보건부 신설이 필요하다'는 팀에 뽑힐 수 있다. 그래서 두 가지 주장의 근거를 미리 준비해야 한다. 양쪽의 입장을 준비해야 어느 팀에 가더라도 다른 쪽 주장에 반론할 수 있기 때문이다.

이렇게 두 가지 주장에 대해 철저하게 준비하고 난 후, 팀이 결정되고 각자의 주장이 이어진다. 그 다음 상대편의 질문과 이에 대한 반론, 마지막으로 상대편의 의견을 절충해서 주장을 요약하는 방법으로 토론이 진행된다.

이때 상대편의 주장에 질문하고 반론하며 적절한 합의점을 수렴해야 한다. 이 과정에서 자연스럽게 상대방의 주장을 경청하게 된다. 상대방이 어떤 근거로 어떤 주장을 펼치는지 듣고 나서 오류를 찾아내 반박해야 하기 때문이다. 결과적으로 토론의 가장 중요한 기술은 경청에 있다고 할 수 있다.

토론을 잘하기 위해서는 자신의 주장만을 고집하지 않고, 상대방의 의견을 수렴하는 자세가 필요하다. 토론에 참여한 모든 사람이 자신의 주장만 펼치기보다, 경청의 자세를 갖춘다면 차이를 극복하고 창의적인 결론을 도출할 수 있다.

제자백가 시대에 유가를 계승한 맹자는 수많은 사상가들로부터 비판받았다. 그는 자신의 입장과 다른 주장을 펼치는 사상가들과 토론에 나섰다. 이를 통해 자신의 주장이 정당함을 밝혀냈다. 그의 토론 비결은 '지언知言'에 있다. 이는 상대방 말의 의중을 정확히 간파하는 것을 말하는 데, 곧 경청이다.

잘 들어주는 사람이 ●
말도 잘한다 ,

그러면 '경청의 방법'을 잘 참고해 싸우지 않고도 이기고, 새로운 아이디어를 찾아내는 토론에 잘 임하길 바란다.

네 가지 경청의 방법

리액션: 고개를 가볍게 끄덕이며 가벼운 추임새를 넣는다.

끝까지 듣기: 상대방이 말을 할 때 말을 자르지 않고 끝까지 듣는다. 단, 상대방의 말이 주제와 어긋났을 때는 타이밍을 놓치지 않고 호응한 후 반박한다.

정리: 상대방의 말이 길어질 때, 정리 및 요약 후 질문을 던져 대화의 방향을 잡는다.

말 따라하기: 상대방이 했던 말 일부를 따라하면서 이야기한다. 자신에게 관심을 갖고 있다는 사실을 상대도 느낄 수 있다.

상대를
내 편으로 만드는
한 마디

Chapter 03

상 대 가   원 하 는   것 을   주 어 라

잘 잡은 키워드 하나가
열 마디보다 낫다

☞ 초코파이는 정(情), 보일러는 효(孝)

상품을 팔 때 여러 가지 장점을 나열하는 것이 나을까, 간단명료하게 한 가지만 설명하는 것이 나을까? 정답은 후자다. 최대한 간결하게 트렌드에 부합하는 장점과 특징에 집중하는 편이 구매자로 하여금 구매 욕구를 불러일으킨다. 이때 딱 한 단어로 요약되는 말이 핵심 키워드다. 잘 잡은 핵심 키워드 하나가 상품 판매를 폭발적으로 늘린다. 이는 초코파이, 경동보일러, 박카스를 보면 잘 알 수 있다.

먼저 초코파이 광고를 보자. 초코파이는 국민 과자로 오랫동안 꾸준히 판매되었지만 70년대 말 위기를 겪었다. 매출이 크게 줄어든 것이다. 새로운 제품을 출시하자는 목소리까지 나왔다.

이때 새로운 광고로 내세운 키워드가 '정情'이었다. 한국인이라면 누구에게나 친숙한 키워드 정을 콘셉트로 선생님 편, 경비원 편, 삼촌 편 등 시리즈 광고를 내보냈다. 그러자 다시 판매가 상승 곡선을 그렸다. 소비자는 정을 갈구하며 주위에 정을 전하기 위해 이 제품을 찾았다. 이렇게 해서 정을 키워드로 한 시리즈 광고가 현재까지 이어지고 있다. 최근에는 이런 내레이션으로 소비자의 가슴을 파고들었다.

오늘도 누군가가 다시 미소 짓고 때론 감사가 되기도 합니다.

그래서 나는 위로가 됩니다.

오늘도 누군가가 다시 미소 짓고 힘낼 수 있도록

전해줄 수 있습니다.

이 땅의 모든 사람들과 나는 당신의 정情입니다.

경동보일러는 '효孝' 키워드를 공략했다. "아버님 댁에 보일러 놔드려야겠어요"라는 멘트를 통해 낡은 주택에 거주하는 노인층 수요를 파고들었다. 젊은 세대가 사는 집에는 최신 보일러가 구비되어 있기에 별도로 보일러를 살 이유가 없다. 그런데 노인층은 막상 새 보일러가 필요하지만 비용이 만만치 않아 살 엄두가 나지 않는다. 경동보일러는 이 점을 간파했다.

자금 여유가 있는 젊은 자식이 부모님에게 효도하는 마음으로 보일러를 구입하도록 유도했다. 결과는 대성공이었다. 판매가 급성장했다. 여기다 '효' 광고는 상품을 팔기 위한 전략으로만 읽히는 데 그치는 것이 아니었다. 사회 전반에 효를 강조하는 캠페인 역할을 톡톡히 해냈다. 이렇게 해서 경동보일러는 판매 증가와 캠페인이라는 두 마리 토끼를 잡았다.

박카스는 '피로 회복' 키워드를 내세워 제품의 본질을 강조했다. 누구나 박카스하면 피로 회복을 떠올린다. 한때 여성 아이돌 가수를 내세운 비타민 음료에 흔들리기도 했지만, 여전히 그 아성을 지키고 있다. 피로 회복이라는 제품의 본령을 광고에 오랜 세월 일관되게 유지해온 결과다. 이는 다음 카피를 보면 잘 알 수 있다.

지금도 어딘가에선
피로가 소리 없이 쌓이고 있습니다.
따뜻한 햇살이 구석구석 쌓인 눈을 녹이듯
우리 모두의 피로가 녹을 때까지
박카스가 응원합니다.

풀려라, 4천8백만!

풀려라, 피로!

하나의 스토리로 전체를 꿰뚫어라

"최근 키워드는 소비자 통찰이다. 소비자의 욕구, 지각, 선호 그리고
행동에 관해 더 깊이 있는 통찰력을 가진 기업이 경쟁 우위를 지킬
것이다. 당신의 기업은 소비자에 대한 통찰력을 얻기 위해 어떠한 조
사를 하고 있는가?"

필립 코틀러*Philip Kotler*는《필립 코틀러가 말하는 마케팅의 10가지 치
명적 실수*Ten Deadly Marketing Sins*》에서 소비자 조사를 실시하라면서 키워드
를 강조했다. 성공하는 기업이 되기 위해서는 소비자의 머리를 관통
하고 핵심 키워드를 파악하라고 한다. 그 핵심 키워드를 제품에 입힐
때 대박을 터뜨릴 수 있다. 실제로 그렇다. 매 계절마다 패션업계는 그
시기의 소비자를 사로잡을 색상 트렌드의 핵심을 잡아내 패션에 반영
한다. 헬스케어기업은 단연 '힐링' 키워드를 활용해 마케팅을 펼친다.

홈쇼핑에서는 어떨까? 탁월한 쇼핑호스트는 트렌드에 맞게 키워드

상대를 내 편으로 만드는
한 마디

를 잡아내 집중 공략한다. 가령 20~30대 대상의 고가 패션 브랜드라면 이렇다.

"영화 '악마는 프라다를 입는다' 잘 아시죠? 그 주인공 앤드리아 삭스처럼 자신을 돋보이기 위해서는 아낌없이 패션에 투자를 해야 해요. 이왕이면 영화 제목에 나온 '프라다' 어떠세요. 괜히 영화 제목에 나왔을까요? 틀림없이 만족하실 거예요."

이렇듯 마케팅 노하우로 마련된 좋은 콘텐츠는 말하기를 최고의 수준으로 올려주는 엔진이다. 상품을 돋보이게 하는 마케팅 비결을 말하기에 적용하면, 일상생활은 물론 사회생활을 할 때 큰 도움이 된다. 개인 블로그에 글을 쓰는 일이든, 상업과는 거리가 먼 예술을 기획하는 일이든, 모든 일에는 마케팅이 필요하다. 말하기에도 분명히 마케팅 노하우가 필요하다.

면접을 예로 들어보자. 나는 대학생을 대상으로 면접 특강을 많이 해왔다. 이 과정에서 대학생들과 다양한 형식으로 모의 면접을 실시했기에 이제는 척 보면 합격 불합격을 알 수 있다. 상당수 학생은 면접 시 너무 많은 것을 알리려고 한다. 하지만 학점과 토익 점수는 기본으로 시작해 봉사 경험과 수상 경력을 더하고 장기까지 덧붙이는 등 짧은 시간에 많은 것을 드러내려다가는 역효과가 난다는 것을 알아야 한다.

수많은 지원자를 상대하는 면접관은 한 명 한 명에게 많은 공을 들이고 집중하지 않는다. 정해진 시간에 동물적 본능으로 합격과 불합격을 결정 내린다. 이때 걸리는 시간이 3~5분밖에 걸리지 않는다. 따라서 면접 지원자는 짧은 순간에 다른 지원자와 차별화되는 키워드를 회사에서 원하는 핵심에 맞춰 면접관에게 어필해야 한다. 그래야 면접관에게 강한 인상을 줄 수 있다. 가령 이런 식이다.

"저는 준비된 글로벌 인재입니다. 어릴 때부터 외국 생활을 오래 해왔기에 현지인처럼 영어를 할 줄 압니다. 이런 제가 S사에 입사하면 해외 판매부에서 일하며 전 세계로 회사의 상품을 알리겠습니다. S사가 글로벌 기업으로 도약하는 데 반드시 이바지하겠습니다."

이렇게 하면 군이 토익 점수가 몇 점이라는 것을 알릴 필요가 없다. 대신 회사를 글로벌 기업으로 만드는 데 자신이 적임자임을 강렬하게 잘 어필했다. 여기에서는 '글로벌'이라는 하나의 키워드가 잘 관통되었다. 글로벌 인재, 외국 생활, 현지인처럼 능숙한 영어, 해외 판매부, 전 세계, 글로벌 기업이라는 내용을 하나의 키워드로 잘 꿰었다. 따라서 면접관은 저절로 고개를 끄덕일 게 분명하다.

3,900원짜리 도시락이
잘 팔리는 이유

⇢ "제품 가치만 잘 설정해도 알아서 팔립니다"

"어떻게 해서 그렇게 제품을 잘 파세요?"

모 가전제품 중소기업 마케팅 팀장에게 물었다. 그는 대기업이 거의 장악하다시피 한 가전제품 시장에서 브랜드 인지도가 떨어지는 자사 제품을 매번 히트 치게 했다. 그에게 특별한 비결이 있다면 알려달라고 했다. 그는 지체하지 않고 말했다.

"내가 한 게 뭐 있나요? 단지 제품에 맞는 가치를 설정해주는 것뿐이죠."

"그게 무슨 말씀이죠?"

"우리 회사의 제품은 기술력에선 대기업 못지않습니다. 그런데 중소기업이다 보니 브랜드가 잘 알려져있지 않아요. 자금 사정이 좋지 않으니까 막대한 비용으로 홍보를 하는 데도 한계가 있지요. 그래서 차별화된 가격 설정에 집중했어요. 아무리 제품 개발에 많은 비용이 들어간다고 해도 대기업과 비슷한 가격을 매기면 경쟁력이 없으니까 값을 낮추는 쪽으로 진행했죠. 대기업 제품 가격 대비 3분의 1로 대폭 낮췄습니다. 그랬더니 별 홍보를 하지 않았지만 싸고 품질이 좋다는 소문이 나서 날개 돋친 듯 팔리더라고요."

그제야 무슨 말인지 이해가 되었다. 편의점에서 파는 4,000원 짜리 도시락과 3,900원짜리 도시락의 차이였다. 요즘같이 경기가 안 좋을 때는 단돈 100원이 아쉽다. 그래서 내용물에 별 차이가 없다면 3,900원짜리 도시락이 더 눈에 들어온다. 도시락회사 입장에서는 다른 도시락에 비해 100원 저렴한 3,900원으로 가격을 책정한 것이 매우 좋은 결정이다.

이러한 마케팅은 브랜드도, 홍보도, 제품 내용도 강조하지 않고 오로지 '적절한 가치 설정'만을 역설한다. 제품에 맞게 타사 제품과 차별화된 적정 가격을 매긴 것만으로도 제품은 알아서 잘 팔린다고 한다.

그렇다고 해서 적절한 가치 설정이 반드시 저가 정책으로 이어지는 것은 아니다. 가격만 싸다고 해서 다 베스트셀러가 되지는 않는다는 뜻이다. 브랜드에 걸맞게 제 가치를 매기는 것이 중요하다. 만약 한 잔에 5,000원이라는 고가를 받고 커피를 파는 스타벅스가 가격을 낮게 매기는 전략을 펼치면 통할까? 저가 커피를 내세운 국산 커피전문점이 우후죽순으로 생기니 말이다.

실제로도 스타벅스는 저가 정책을 전혀 고려하지 않는다. 왜냐하면 스타벅스는 그 자체로 고품격 문화 공간이라는 이미지가 만들어져 있기 때문이다. 고객은 다소 비싼 가격이라도 스타벅스라면 기꺼이 지불할 용의가 있다. 그래서 스타벅스는 커피 가격을 낮춤으로써 고품격이라는 이미지를 구길 필요가 없는 셈이다. 스타벅스는 고급 브랜드 이미지에 걸맞은 가격을 설정함으로써 중저가 커피전문점과 차별화해 충성 고객층을 확보하게 된다.

삼성전자와 LG전자는 프리미엄 제품이라는 브랜드 이미지를 앞세워 고가 전략을 펼치고 있다. 비슷한 성능을 갖춘 중국의 중저가 가전 제품이 매섭게 공격하고 있지만, 이에 아랑곳하지 않고 일관된 가격선을 유지하고 있다. 소비자들은 삼성전자의 냉장고와 LG전자의 TV를 고가에 구매하면서 명품을 구매한다는 보상 심리를 갖는다. 그래서 아무리 중국이 중저가 제품을 내놓아도 흔들리지 않는다.

따라서 제품의 적절한 가치는 판매하는 입장이 아니라 철저히 소비자 입장에서 설정해야 한다. 히로세 모리카즈^{廣瀬盛一}는《에센스로 읽는 코틀러 마케팅》에서 이를 '소비자 지향형 가격 설정'이라고 하면서, 소비자의 니즈를 분석해 납득 가능한 금액을 정하라고 한다. 그 이유는 다음과 같다.

"소비자가 느끼는 가치보다 높은 가격이 책정되어 있다면 그 기업은 매상이 오르지 않아 고민하고 있을 것이다. 또 너무 낮게 책정하면 제품이 잘 팔려서 좋은지는 모르지만, 소비자가 제품에 대해 느끼고 있는 가치에 적합한 가격을 책정했다면 얻을 수 있었을 이익을 놓치고 있는 셈이다."

⇌ 적정한 가치에 근거해서 말하라

경쟁에서 살아남기 위해서는 나의 가치를 원하는 곳에 잘 '팔아야' 한다. 그러니 나의 가치를 적절하게 파악하는 것이 중요하다. 역량은 형편없는데 가치를 턱없이 높게 책정하면 아무도 나를 찾지 않는다. 반대로 자신의 가치를 지나치게 낮게 책정하면 의욕과 자신감을 상

상대를 내 편으로 만드는
한 마디 ,

실하게 된다. 운동선수, 컨설턴트, 강사, 프리랜서 아나운서… 모두 제 몸값을 잘 책정해야 한다.

만약 햇병아리 야구 선수가 구단에 주제넘게 높은 연봉을 요구하면 어떻게 될까? 그는 구단에서 쫓겨나는 것은 물론 낙동강 오리알 신세가 되고 말 것이다. 기업 강사의 경우, 자신에게 대기업 임직원 경력이 있다고 해서 턱없이 높은 강의료를 요구하면 어떻게 될까? 이도 마찬가지다. 그를 대신해 기업 강의 경력이 많은 다른 강사를 섭외할 것이 뻔하다.

나의 경우 말하기 강사로서의 가치가 꾸준히 높아져왔다. 처음 강의를 시작할 때는 적은 강의료에도 감사했다. 서서히 내 이름이 매스컴에 보도되고, 인터넷에서 많이 노출됨에 따라 강사료가 높아졌다. 요즘에는 여러 회사와 교육청, 자기 계발 강연 회사 등에서 매스컴에 소개된 나를 주목하고 강의를 섭외해온다.

그렇다고 나를 섭외해오는 곳에 일률적으로 높은 강의료를 제시하지 않는다. 경력이 많은 분야인 경우는 상대적으로 높게 책정하지만, 생소한 분야는 낮게 책정한다. 잘 모르는 분야는 배우는 마음으로 강의를 한다고 생각해서 적은 강의료로도 만족한다. 시간이 지나면 자연히 그 분야 강의료가 높아질 것으로 본다. 나는 나의 상품 가치를 일방적으로 높게 정하지 않는 대신, 나를 원하는 이들의 시각에 맞게 책정해서 말한다.

이처럼 말하기에서 가치를 잘 설정하는 것은 무척 중요하다. 모두가 똑같이 내세우는 가치 말고, 나만이 가지고 있는 가치를 찾기 위해 노력해야 한다. 세일즈는 물론이고 입사 면접이나 고객과의 협상 같은 모든 대화에 적용되는 원칙이다. 그래야 상대와의 대화에서 승승장구할 수 있다.

탄탄한 플롯에서 나오는
스토리텔링

⮑ 청바지 주머니에서 아이팟을 꺼내다

"천 개의 음악이 당신의 주머니에 있습니다."

이 말로 2001년 아이팟 프레젠테이션을 시작한 스티브 잡스. 잠시 후 그는 자신의 청바지 보조 주머니에 손을 가져다댔다. 그리고 자그마한 물건을 꺼내 들자, 청중이 환호했다. 어떻게 저렇게 작을 수 있느냐는 반응이었다. 태연하게 그가 말했다.

"청바지의 보조 주머니가 어디에 쓰일지 늘 궁금했습니다. 이젠 그 의문이 풀렸습니다. 아이팟은 0.18킬로그램에 불과해 보조 주머니에 쏙 들어갑니다."

당시 아이팟은 5기가바이트의 저장 용량을 자랑하는 혁신 제품임에도 불구하고 가격이 높은 편이었다. 만약 몇 그램에 저장 용량은 얼마고, 또 어떤 성능이 있다는 등 팩트를 나열하는 데 그쳤다면 어떻게 되었을까? 상당수 청중이 '성능은 좋은 데 가격이 높군' 하며 시큰둥한 반응을 보였을지 모른다.

하지만 스티브 잡스는 직접 청바지 보조 주머니에서 아이팟을 꺼내는 모습을 연출함으로써 타사 제품에 비해 아이팟이 매우 소형임을 강조했다. 더더욱 청바지를 자주 입는 사람들에게 보조 주머니를 위해 특화된 제품이라는 점을 부각시켰다. 스티브 잡스의 손에 들린 아이팟을 보면서 청중은 이런 상상에 빠졌을 것이다.

'나도 청바지를 입고 있을 때 세련되게 아이팟을 넣고 다니면서 음악을 들어야지. 정말 멋지지 않아?'

이렇게 해서 아이팟은 저렴하고 저장 용량도 더 많은 타사 제품을 따돌리고 세계적인 히트 상품이 되었다. 여기에는 스티브 잡스의 스토리텔링 프레젠테이션이 큰 기여를 했다. 그는 프레젠테이션 무대 위에서 스토리의 주인공이 되었다. 그는 청바지를 입고 초소형 아이팟을 즐기는 게 얼마나 멋진 일인지를 극적으로 보여주었다. 이렇듯 그가 몸소 보여준 장면이 아이팟을 혁신적이고 시장을 선도하는 제품

상대를 내 편으로 만드는 ●
한 마디 **9**

으로 만들어냈다.

스티브 잡스는 이외에도 제품을 소개할 때 많은 부분 스토리텔링을 이용한다. 통계나 수치를 전달할 경우에도 이야기로 바꿔서 말한다. 아이폰이 400만 대 팔렸다면, 이를 하루 평균 2만 대 팔리고 있다고 말한다. 그러면 청중은 경험적으로 얼마나 많이 팔리는지를 피부에 와 닿게 느낀다. 또한 프레젠테이션 내내 '한 가지 더*one more thing*'라는 슬라이드를 띄워놓고, 꼬리에 꼬리를 무는 스토리처럼 계속해서 흥미진진한 콘텐츠가 기다리고 있다는 것을 알려준다. 이렇듯 스티브 잡스는 스토리텔링 프레젠테이션의 황제임을 알 수 있다.

쇼핑호스트 정윤정도 마찬가지다. 〈나는 30초가 다르다〉를 보면 그녀가 코트를 팔 때 어떤 말을 하는지 알 수 있다.

"'별 그대'에서 전지현이 코트 두 개 겹쳐 입은 거 보셨어요? 얇은 코트를 입고 겉에 두꺼운 코트를 또 입으니까 참 예쁘더라고요. 저도 전지현처럼 예쁘게 입으려고 요즘 다이어트 중이에요."

그녀는 제품을 소개할 때 제품의 수치와 통계, 구성 요소, 특징을 나열하는 것을 지양하고 강렬한 스토리텔링으로 대신한다. 그녀는 쇼핑호스트가 단지 상품을 판매하는 데 그치는 사람이 아니라고 생각한다. 고객이 자신의 스타일을 찾고, 새로운 일상의 스토리를 만들어가면서 행복을 얻게 하는 것이 쇼핑호스트의 역할이라는 뜻이다.

⇉ 강력한 스토리에는 기승전결이 필요하다

프레젠테이션은 물론 홈쇼핑에서 빠질 수 없는 것이 바로 스토리
텔링이다. 스토리텔링은 단순한 사실을 나열하는 것 이상의 감동과
몰입 효과를 낸다. 마치 인기 드라마에 빠지는 듯한 행복감마저 자아
내게 한다. 그래서 청중은 뻣뻣하게 사실만 나열할 때는 등을 돌리지
만 스토리텔링에는 환호하고 열광한다.

하지만 스토리텔링이라고 해서 아무 이야기나 만들면 되는 것이
아니다. 자칫 식상한 내용으로 뻔하게 이야기를 전개하면 아무도 그
말을 들어주지 않을지 모른다. 스토리텔링에는 탄탄한 플롯이 필요
하다. 플롯을 잘 갖추어야 스토리가 화살처럼 날아가 듣는 이의 가슴
에 꽂힌다.

로널드 B. 토비아스*Ronald B. Tobias*의 《인간의 마음을 사로잡는 스무
가지 플롯*20 Master Plots*》을 보면, 탄탄한 플롯에 필요한 8가지 요소가
나온다.

긴장이 없으면 플롯은 없다

드라마 〈태양의 후예〉를 보면, 유시진과 강모연의 사랑이 긴박하게 이어진다. 그 둘의 사랑에는 매번 위기가 닥쳐오지만 끝끝내 둘은 이를 이겨내고 사랑의 끈을 붙잡는 데 성공한다. 둘의 사랑을 갈라놓는 위기가 주는 긴장이 없다면 너무 심심해질 것이 뻔하다.

대립하는 세력으로 긴장을 창조하라

흥행하는 영화, 드라마치고 선과 악의 선명한 대결 구도가 아닌 것을 찾아보기 힘들다. 우리의 주인공은 항상 적에 의해 공격받는 상황에 처해있어야 흥미가 더해진다. 앞으로 주인공의 운명이 어떻게 될지 궁금해지지 않을 수 없다.

대립하는 세력을 키워 긴장을 고조시켜라

주인공과 악인이 결투 한 방에 나가떨어지면 그것으로 스토리는 끝이다. 시간이 갈수록 악의 세력은 더더욱 강력한 힘을 갖고 등장하게 되고, 주인공은 곤경에 처하게 된다. 할리우드 블록버스터를 보면 거의 다 이렇다. 퇴치했다고 믿고 있던 적이 어느 순간 더 강해진 모습으로 나타나 주인공을 습격하는 것은 기본이다.

등장인물의 성격은 변해야 한다

착한 사람이 계속해서 착한 사람으로 스토리가 진행되는 것보다는 악한 사람이 착한 사람으로 변하는 스토리가 더 주의를 끈다. '어떻게 해서 이런 일이 생겼지?' 하고 궁금증이 생긴다. 착한 사람이 악인으로, 악인이 착한 사람으로 변하기 때문에 앞으로 등장인물에게 어떤 일이 생길지 아무도 예단하지 못한다.

모든 사건은 중요한 사건이 되게 하라

잘된 스토리, 히트 친 스토리는 그 속에 나오는 크고 작은 사건들이 하나도 허투루 나오는 법이 없다. 사건들은 하나같이 의미 있고, 또 앞으로의 전개에 거미줄처럼 연결되어 있다.

결정적인 것을 사소하게 보이도록 하라

복선이나 암시 같은 특별한 장치가 고스란히 밝혀지면 이야기의 긴박감이 떨어진다. 특별히 신경 쓴 중요한 사건과 이야기는 별 것 아닌 듯이 위장하는 속임수가 필요하다. 결정적인 순간에 터뜨려야 효과가 더 높아진다. 이에 대해 로널드 B. 토비아스는 이렇게 말한다.

"결정적인 문제를 사소하게 보이게 함으로써 관객은 작품이 바로 인생과 매우 닮았다는 오랜 관습을 받아들일 수 있게 된다."

상대를 내 편으로 만드는
한 마디

복권에 당첨될 기회는 남겨두어라

드라마와 영화, 소설을 보면 예외 없이 주인공은 죽을 고비를 잘도 극복해낸다. 거의 죽을 듯하다가도 기적적으로 살아난다. 〈태양의 후예〉에서도 유시진이 죽은 것처럼 초상집 분위기를 잔뜩 잡아놓았다가 마지막에 가서 살아 돌아오게 한다. 그렇다. 주인공에게는 늘 행운이 따른다.

클라이맥스에서는 주인공이 중심적 역할을 하게 하라

하나의 스토리를 주도적으로 이끌어가는 것은 주인공이다. 스토리는 이 주인공이 어떻게 난관을 뚫고 해결하는가를 보여준다. 따라서 스토리의 정점에서는 당연히 주인공이 부각되어야 한다. 악당 두목을 처치하는 것은 조연이 하면 안 된다. 마찬가지로 〈태양의 후예〉가 보여주는 '사랑의 결실'이라는 클라이맥스에는 남녀 주인공 유시진과 강모연이 있다.

본질에
충실해야 통한다

⇒ 맛집이 한 가지에 올인하는 이유

"스타벅스는 '하이테크' 기업이 아닙니다. 우리만의 비밀스러운 방법을 숨기고 있는 것도 아닙니다. 소비자의 기대 수준을 넘어서는 최고의 커피 맛과 서비스로 승부할 뿐입니다."

스타벅스 대표 하워드 슐츠*Howard Schultz*의 말이다. 세계적인 커피 체인점 스타벅스는 별도로 홍보와 마케팅을 하지 않는 것으로 유명하다. 국내 신생 커피 체인점의 경우 TV 광고, 신문 광고, 인터넷 마케팅은 물론 PPL까지 홍보와 마케팅에 막대한 비용을 투자한다. 이에 반해

상대를 내 편으로 만드는 ●
한 마디 **'**

스타벅스는 요지부동이다.

그런데 어떻게 해서 커피 체인점 국내 1위를 차지할 수 있을까? 그 이유는 하워드 슐츠의 말에 담겨있다. 그는 '최고의 커피 맛과 서비스로 승부할 뿐'이라고 했다. 여기서 서비스는 커피 맛이 밑받침되었을 때 의미 있으므로 제외시키자. 그러면 국내 1위의 비결은 '커피의 본질인 맛'에 승부를 걸었기 때문이라는 점을 알 수 있다.

고객이 스타벅스 특유의 문화 공간을 향유하고자 그곳을 찾는 것도 사실이다. 하지만 스타벅스에 문화 공간이라는 이미지는 결코 중요한 요소가 아니다. 있어도 좋고 없어도 아쉬울 것 없다. 그렇지만 딱하나, 그 무엇과도 바꿀 수 없는 것이 바로 커피 맛이다. 이 때문에 스타벅스는 토종 커피 브랜드인 카페베네의 공격에 조금도 위축되지 않았다. 현재 커피의 본질인 맛보다 홍보 마케팅에 신경을 썼던 카페베네는 처참하게 몰락하고 있다.

맛집도 마찬가지다. 함박스테이크, 돈가스, 참치 회, 중국 요리 등 특정 메뉴가 유명한 맛집이 수도 없이 많다. 대형 프랜차이즈와 달리 자영업자가 운영하는 음식집은 자금이 달린다. 그래서인지 많은 비용이 드는 홍보에 신경 쓸 겨를이 없다.

대신 맛집은 한 가지에 올인한다. 요리의 본질인 맛이다. 이렇게 해서 맛이 고객의 구미를 충족시켜줄 때, 충성 고객이 확보된다. 입소문이 이어지면서 고객이 알아서 찾게 된다. 맛을 아는 고객은 시간을 내서라도 다른 지방까지 찾아가 방문한다.

본질에 충실해 비즈니스를 성공시킨 사례로 '배달의 민족' 앱을 빼놓을 수 없다. 창업자 김봉진은 국내에 아이폰이 들어오면서 수많은 비즈니스 앱이 만들어지는 광경을 목도했다. 이때 그도 앱 개발에 관심을 가졌다. 그는 IT와 무관한 디자이너 출신이었다.

'뭘 만들면 좋을까? 그래, 스마트폰도 결국 전화기잖아. 스마트폰의 본질은 전화기야. 전화 기능이 없는 스마트폰은 상상도 할 수 없지. 그렇다면 전화 기능을 활용하면 좋겠어.'

이렇게 해서 주변의 음식점 전화번호를 노출시켜 고객에게 연결하는 앱을 개발하게 된다. 결과는 대성공이었다.

⇒ 내세울 것 한 가지만 있으면 된다

본질에 충실해야 성공할 수 있다는 것은 말하기에도 동일하게 적용된다.

"학생은 잘하는 게 뭐예요?"

지방의 한 대학에서 취업 면접 특강을 할 때였다. 개별적으로 학생과

상대를 내 편으로 만드는
한 마디 ,

면담을 하면서 노하우를 알려주고 있었다. 한 여학생이 수줍은 표정으로 고민을 털어놓았다. 자신은 점수에 맞춰서 지금의 학과로 진학했으며, 공부에 별로 관심이 없어 학점이 좋지 않다고 했다. 그러면서 내년에는 졸업을 하게 되는데 앞으로 어떤 회사에서 자신을 받아줄지 걱정이 된다고 했다. 그 학생이 의기소침해 하자, 잘하는 것을 말해보라고 했다.

그러자 그 여학생이 얼굴을 환하게 밝히면서 입을 열었다.

"저는 화장품을 좋아해서 메이크업에 소질이 있어요. 친구들 화장을 도맡아서 해줄 정도에요. 제가 메이크업을 해준 친구들이 기분 좋아지는 걸 보면 저도 덩달아 기분이 좋아져요. 저는 다른 건 몰라도 화장품 하나 만큼은 손에 꼽을 정도로 잘 안다고 자부해요."

그 자리에서 특정 화장품 브랜드를 대면서 설명해보라고 했다. 그러자 막힘없이 각종 제품을 비교하면서 그 화장품의 장점과 단점을 설명하는 것은 기본이고 메이크업을 할 때의 노하우도 알려줬다. 더욱이 내 얼굴을 찬찬히 살펴보더니 혹시 어느 제품 쓰지 않느냐면서 그 제품 쓸 때의 유의점을 알려주었다. 듣고 있던 내가 보통 수준이 아니라는 것을 짐작할 수 있었다.

"학생은 이미 다른 학생에 비해 월등히 앞선 재능을 갖고 있는 것으로 보입니다. 화장품에 관해선 프로 수준이라고 생각해요. 내가 만약 화장품회사 대표라면 학생을 당장 스카우트하고 싶네요. 그러니까

학생은 자신을 다른 학생들과 비교하지 마세요. 학생이 제일 잘하는 것, 곧 학생의 본질인 '화장품 마니아'라는 점에 집중해서 그걸 내 브랜드로 내세워 면접에 임해보세요. 틀림없이 학생을 필요로 하는 회사가 있을 거예요."

이후 그 여학생이 A 화장품회사에 취직되었다는 연락을 받았다. 이 여학생 외에도 내 주변에 비슷한 사례가 많다. 자신의 본질인 운동에 충실해 스포츠 용품 회사에 취직된 경우, 말에 충실해 전문 프레젠터로 활동하는 경우가 있다. 이처럼 본질에 충실한 이들은 직장에서 괄목할만한 성과를 많이 내는 것을 볼 수 있다.

'삽질 정신', '공모전의 여왕'으로 유명한 광고기획자 박신영도 그렇다. 그녀는 대학 시절에 자신의 본질인 광고 기획에 올인했다. 무려 공모전 23관왕에 이른 그녀는 자신을 광고기획 인재로 브랜딩함으로써 제일기획에 입사할 수 있었다. 그녀는 한두 개의 공모전에 도전하면 스펙이 되지만, 100개의 공모전에 도전하면 실력이 된다고 하면서 취업을 앞둔 대학생들에게 이렇게 말한다.

"삽질도 한 번씩 여러 곳에 하면 바람 한 점에 없어집니다. 깊고 넓게 하면 그렇지 않겠죠. 잡화상 같이 '이것도, 저것도 있다'고 말하지 말고 '이거 하나 있다. 싫으면 말라'고 말하세요. 저도 면접 때 당당히 말했고 붙었잖아요."

'예스'를 부르는
반복의 힘

⇌ 아홉 번 찍힌 나무는 넘어가지 않는다

미국 서부 골드러시 시대에 더비라는 사람이 부푼 꿈을 안고 서부로 향했다. 곡괭이와 삽을 들고 서부 곳곳을 파헤친 끝에 운 좋게 광맥을 발견했다. 그는 그곳을 숨겨놓고 거금을 모아 채굴 장비를 마련한 후 다시 돌아왔다. 채굴을 시작하자 투자금을 모두 회수할 정도로 많은 금광석이 쏟아졌다.

'나는 부자야!'

기쁨도 잠시였다. 그가 흥분에 사로잡힌 채 계속해서 굴착기를 아래로 파내려가자, 금 조각이 하나도 나오지 않았다. 그게 전부였다.

'이제까지 고생한 결과가 겨우 이것뿐이야? 그동안 이곳에 투자한 내 청춘이 아깝구나. 그래도 투자금을 회수했으니 이것으로 그만 끝내는 게 좋겠다.'

그는 고가의 채굴 장비를 고물상에 팔아치우고 고향으로 돌아갔다. 그런데 그 고물상 주인이 혹시나 하는 마음에 광산을 더 조사해봤다. 단층이 문제였다. 금광석은 더비가 포기한 곳에서 3미터 밑 지층에 무더기로 모여 있었다. 고물상 주인은 굴착기를 가지고 땅을 파낸 끝에 막대한 양의 금광맥을 발견하여 억만장자가 되었다.

만약 더비가 포기하지 않고 단 3미터만 더 파내려갔다면 어떻게 되었을까? 그는 금광맥을 찾기 위해 오랜 시간을 보냈다. 3미터의 몇 백 배가 되는 깊이도 기꺼이 파내며 피와 땀을 바쳤다. 그런 그가 막바지에 겨우 3미터를 남기고 희망을 접어버렸다. 그 결과는 위와 같다. 엉뚱한 사람에게 행운을 넘겨줘버리고 만 것이다.

이 일화는 사람을 설득해 제품을 파는 영업자들에게 귀중한 교훈이 된다. 아무리 뛰어난 영업자라 해도 단 한 번에 고객의 마음을 사로잡아 제품을 판매하는 일은 찾아보기 힘들다. 두세 번에서 십여 번 지속적으로 말하기를 반복해 고객을 설득하는 과정을 거쳐 마침내 목표를 달성한다.

상대를 내 편으로 만드는 ●
한 마디 ,

여기에서 프로와 아마추어의 차이가 나누어진다. 프로는 목표에 대한 확신을 갖고 고객이 '오케이' 할 때까지 수없는 설득을 하지만, 아마추어는 목표에 대한 확신이 적은 상태에서 고작 서너 번 설득하고 말 뿐이다. 결과는 하늘과 땅 차이다. 프로에게는 금광이 찾아오지만 아마추어는 쪽박을 차게 된다.

질 그리핀Jill Griffin은 《충성고객 이렇게 만든다Customer Loyalty》에서 영업 사원이라면 거듭해 고객을 방문해야 한다고 말한다. 10명의 고객 중 6명은 '예스'라고 대답하기 전에 3번 정도 '노'라고 말하기 때문이다. 수없이 반복해서 방문하는 것이 영업의 성공 확률을 높인다는 것이다.

"거듭 방문할 이유'는 구매가능고객을 최초 구매고객으로 전환시키는 데 중요한 역할을 할 수 있다. 거듭 방문의 효과는 구매자의 관심을 끌어낼 수 있다는 것이다."

그는 스톡홀더 시스템사의 이야기를 소개한다. 이 회사가 4개의 쟁쟁한 경쟁사를 제치고 뒤퐁사로부터 150만 달러의 프로젝트를 딸 수 있었던 것은 인내와 집요함과 판매 기획의 덕분이기도 했지만, 결정적으로 지속적인 반복 방문의 결과였다는 것이다.

⇉ 60퍼센트의 사람이 반복적으로 본 것을 선택한다

고객의 입장에서도 반복의 효과는 여실히 드러난다. 고객은 TV와 신문, 인터넷에서 수없이 많은 광고를 접하게 된다. 몇 번 반짝하다가 그치는 경우가 없고 하나같이 지속적으로 반복하는 것을 볼 수 있다. 막대한 비용과 시간을 투자하는 셈이다. 과연 그것이 얼마만한 효과가 있을까? 대홍기획의 조사에 따르면 다음과 같다.

소비자 65퍼센트가 재미있는 광고는 아무리 봐도 싫증이 나지 않는다.
소비자 60퍼센트가 광고에서 자주 본 제품을 구매한다.

이렇듯 광고는 지속적으로 반복하면 할수록 고객으로부터 강하게 제품 구매 욕구를 불러일으킨다는 것을 알 수 있다. 수없이 반복하고 반복되는 광고는 고객의 무의식을 자극한다. 그래서 고객이 우연히 제품을 접했을 때, 어딘가에서 본 듯한 친숙함을 느끼고 기꺼이 구매하게 된다.

스타 쇼핑호스트 또한 수없이 제품 소개를 반복하는 것을 볼 수 있다. 예외적으로 한 번에 완판을 하는 경우도 있지만 대부분 한 계절 내내 반복해서 고객에게 다가가 그들을 설득한다. 제품을 구매할 의

상대를 내 편으로 만드는 •
한 마디 '

사가 없이 여러 차례 방송만 봐오던 고객이 어느 사이 '이 제품은 사야겠어. 내게 꼭 필요한 거야'라는 생각을 하게 된다.

그러면 영업 고수와 스타 쇼핑호스트처럼 능숙하게 반복적으로 영업을 하려면 어떻게 해야 할까? 영업을 위한 말하기 실력을 갈고닦아야 한다. 고객에게 전혀 부담을 주지 않으면서 자연스럽게 영업을 진행하는 말하기 능력을 갖추어야 한다. 비결은 하나다. 1만 시간을 투자해 반복하는 것이다.

말콤 글래드웰*Malcolm Gladwell*은 어느 분야에서든 1만 시간을 투자하면 전문가가 될 수 있다고 주장한다. 모차르트*Wolfgang Amadeus Mozart*, 비틀즈*The Beatles*, 빌 게이츠*Bill Gates* 등도 1만 시간의 훈련을 통해 천재의 반열에 오를 수 있었다고 한다. 그는 《아웃라이어*Outliers*》에서 이렇게 말한다.

"작곡가, 야구선수, 소설가, 스케이트선수, 피아니스트, 체스선수, 숙달된 범죄자, 그밖에 어떤 분야에서든 연구를 거듭하면 할수록 이 수치를 확인할 수 있다. 1만 시간은 대략 하루 세 시간, 일주일에 스무 시간씩 10년간 연습한 것과 같다. 물론 이 수치는 '왜 어떤 사람은 연습을 통해 남보다 더 많은 것을 얻어내는가'에 대해서는 아무것도 설명해주지 못한다. 그러나 어느 분야에서든 이보다 적은 시간을 연습해 세계 수준의 전문가가 탄생한 경우를 발견하지는 못했다. 어쩌면 두뇌는 진정한 숙련자의 경지에 접어들기까지 그 정도의 시간을 요구하는지도 모른다."

한두 번 영업을 위한 말하기를 하는 것과 십여 차례 영업을 위한 말하기를 하는 것은 천지차이다. 후자의 경우 말의 메시지에 강렬한 화력이 더해진다. 따라서 고객이 의식적으로는 아무렇지도 않게 그 말을 거부할지라도 무의식에서는 서서히 그 말에 반응하게 된다. 이렇게 해서 '3미터 더 땅파기'처럼 계속해서 반복하면 결국 고객은 마음의 문을 연다. 한곳에 지속적으로 떨어지는 물방울이 바위를 뚫는다는 것을 잊지 말자.

상대를 내 편으로 만드는 ●
한 마디 ,

가려운 곳을
정확히 긁어주는 질문

⇒ 원츠보다는 니즈에 집중하라

"고객이 바라보는 곳을 보고 고객이 필요로 하는 니즈를 읽는 것이다. 상품을 바라보는 긍정의 마음과 시선이다."

최근 기능성 쓰레기통 매직캔을 연속 매진시키고 있는 기업 마케팅 전문가 권영찬이 남긴 말이다. 그는 매직캔의 대박 판매 비결을 이렇게 말했다. 그는 스타 쇼핑호스트 못지않은 입담을 발휘해 매직캔을 일약 베스트셀러 상품으로 올려놓았다. 베스트셀러를 만든 '말의 비결'은 그의 이야기처럼 니즈를 읽고 그것에 호소한 데 있다.

기존의 쓰레기통은 불결하고 냄새가 방치되기 일쑤다. 대표적인 예를 들어보자. 주방에서 음식 쓰레기를 넣는 쓰레기통은 냄새가 늘 진동하고 오물이 덕지덕지 묻어났다. 또한 아기를 키우는 주부의 경우 쓰고 난 기저귀를 마땅히 넣을 곳이 없었다. 이렇듯 주부는 냄새를 잡아주고 청결하며 쓰레기 처리가 간편한 쓰레기통을 필요로 하고 있었다. 이러한 고객의 니즈를 정확히 집어내고 그것에 집중해 말한 것이 권영찬의 대박 판매 비결이다.

스타 쇼핑호스트 정윤정 또한 니즈 파악의 달인이다. 〈나는 30초가 다르다〉를 보면, 그녀는 홈쇼핑에서 향수가 팔리지 않는다는 공식을 깨고 대박을 터뜨렸다. 주부의 니즈를 잘 간파하고 있는 그녀는 주부에게 향수가 필수품이라는 확신을 가지고 이렇게 말했다.

"남자들 향수 별로 안 좋아하죠? 여자들도 결혼해서 살다보면 향수 안 뿌리게 돼요. 근데 아무리 씻어도 우리 몸에 밥 냄새, 이거 안 없어지지 않아요? 우리 몸에서 나는 밥 냄새 이 향수로 없애자고요."

그녀의 이 멘트에 주부들이 열광했다. 주부들은 이구동성으로 '맞아, 저게 필요해' 하면서 폭발적으로 주문했다.

니즈^{Needs}는 꼭 필요한 원초적인 욕구를 말한다. 고객은 니즈를 해결해주는 상품이 없으면 고통을 겪는다. 따라서 비즈니스를 성공하기 위해서는 반드시 니즈를 파악해 제품에 반영해야 한다. 실패의 길을 가는 대부분의 기업은 니즈가 아닌 원츠^{Wants}에 집중한다. 원츠는 있으면 좋고 없어도 그만인 욕구다. 게다가 고객은 원츠를 해결하기 위해 여러 가지 상품을 고려할 수 있다.

쉽게 설명하면 이렇다. 누군가 목이 마르다고 하자. 그러면 이것은 니즈다. 그런데 이 니즈를 해결하기 위해 보리차를 마실 것이냐, 생수를 마실 것이냐, 캔 음료를 마실 것이냐 하는 문제는 원츠다.

고객의 니즈를 반영해 성공한 비즈니스 사례를 들어보자. BBQ 치킨은 웰빙 열풍이 한창 불 때 건강이라는 고객의 니즈를 반영해 올리브유 치킨을 내세웠다. 이것이 대박 나면서 BBQ는 국내 치킨 체인점의 선두 주자가 되었다. 올리브유 치킨을 내놓은 이유에 대해 윤홍근 대표는 이렇게 말한다.

"올리브유만이 사람이 먹어서 좋은 기름이라는 결론을 내렸다. 올리브유는 항암 효과가 있을 뿐 아니라 피부 미용에도 좋다."

굽네치킨도 같은 대열에 끼어들었다. 맛있으면서 몸에 좋은 치킨에 대한 니즈를 제품에 반영했다. 굽네치킨은 튀김 기름으로 인해 몸에 해로운 성분이 생길 우려가 없도록 구운 치킨을 내놓았다. 여기에다 흑마늘로 숙성해 더욱 건강에 좋다는 점을 부각시켰다.

최근에는 경기 악화가 지속되며 새로운 니즈가 떠올랐다. 주머니가 가벼워진 고객은 저렴한 가격에 많은 양을 요구하기 시작했다. 이 니즈에 호소하며 떠오른 것이 티바두마리치킨이다. 이를 선두로 우후 죽순 수많은 브랜드가 '한 마리 가격에 두 마리'를 내세우며 등장했다. 당분간 고객의 니즈가 변함없을 것으로 보이기 때문에 두 마리 치킨은 선전할 전망이다.

IT쪽은 어떨까? 대표적으로 '카닥' 앱이 고객의 니즈를 잘 캐치했다. 경기 악화는 자동차를 갖고 있는 소비자에게 고민을 안겼다. 자동차가 망가지기라도 했다가는 수리 비용이 만만치 않았기 때문이다. 게다가 카센터마다 비용이 천차만별이었다. 고객은 가장 싼 비용으로 자동차를 수리하고 싶어 했다. 바로 이러한 니즈를 파악해서 생긴 것이 '카닥'이다. 이는 실시간으로 자동차 외장 수리 견적을 비교해주는 서비스를 제공하는 앱이다. 고객이 수리가 필요한 자동차 사진을 웹에 올리면 카닥은 이를 카센터에 보내서 견적서를 받아 올리는 작업을 진행했다. 전국으로 발품을 팔아 믿을만한 수리 업체를 알아놓은 덕분에, 수입 차의 경우 수리비가 50퍼센트나 낮아지는 결과를 얻을 수 있었다. 이를 통해 고객의 니즈를 당연히 충족시킬 수 있었다.

상대를 내 편으로 만드는
한 마디

상대에게 어떤 문제가 있는지 찾아라

고객은 자상하게 영업자와 쇼핑호스트의 말을 들어주지 않는다. 조금이라도 지루하다 싶으면 그만하라고 하거나 채널을 돌려버린다. 이 때문에 고객의 니즈를 간파해 호소하는 말하기 노하우가 필요하다. '이 제품, 나에게 꼭 필요하다. 사야겠다.' 이런 생각이 들도록 설득하는 한 마디가 절실하다. 이에 대해서는 세계적인 세일즈 컨설턴트 닐 라컴*Neil Rackham*이 《당신의 세일즈에 SPIN을 걸어라*SPIN Selling*》에서 밝힌 'SPIN 전략'을 참고할 수 있다. 'SPIN'은 'Situation Question(상황 질문)', 'Problem Question(문제 질문)', 'Implication Question(시사 질문)', 'Needs-Payoff Question(해결 질문)'의 약자다. 차례대로 살펴보자.

상황 질문(Situation Question)

이는 제품에 대한 고객의 의견 및 고객이 처한 상황을 파악하기 위한 것이다. 이를 통해 고객의 수입, 취미, 가족 등에 대한 정보를 파악할 수 있다. 영업을 배제한 채, 편하게 이야기를 나누면 된다. "어디 사세요?" "쉬는 날에는 주로 뭘 하면서 보내세요?"이와 같은 질문을 하면 된다.

문제 질문(Problem Question)

상황 질문에서 얻은 정보로 고객의 고민, 불편함 그리고 새로운 니즈를 파악하고, 고객에게 니즈를 환기시킨다. "불편한 점 많으시죠?"와 같은 질문을 하면 된다.

사사 질문(Implication Question)

고객의 문제가 가정, 건강, 인생, 비즈니스 등에 어떤 악영향을 미치는지를 질문한다. 이로써 문제의 심각성을 확대한다. "문제가 심각하네요. 새로운 제품이 필요하시죠?"와 같은 질문을 던지면 된다.

해결 질문(Needs-Payoff Question)

고객의 중요하고 명백한 니즈를 확인하며 이에 대한 해결 방안을 제시한다. 이때 자사의 제품을 대안으로 내놓는다. "우리 제품은 그런 문제가 전혀 없습니다. 그렇다면 이 제품이 필요하지 않으세요?"와 같은 질문을 말하면 된다.

상대를 내 편으로 만드는
한 마디

득이 되는 대화를
싫어하는 사람은 없다

⇛ 이득을 싫어하는 사람은 없다

"판매 중인 제품이나 서비스에는 저마다 '꽃이 핀 체리나무'가 있다.
누군가 그 제품을 살만한 진정한 고객이라면, 그 안에는 고객이 원하
는 뭔가가 있다는 뜻이다. 그것이야말로 진정 고객이 얻고 싶어 하는
이득이다. 질문과 경청을 통해 그것이 무엇인지 찾아내라. 고객에게
구매를 하면 그것을 얻을 수 있다는 확신을 심어주라."

세계적인 동기부여 전문가 브라이언 트레이시*Brian Tracy*의 말이다. 그

에 따르면 효과적으로 제품을 판매할 수 있는 방법은 고객에게 많은 이득을 주는 것이라고 한다. 고객은 공짜를 좋아하고 같은 값이면 더 많은 이득을 주는 제품을 원한다. 지불하는 비용 대비 많은 이득을 얻을수록 고객은 만족하기 때문이다.

세기의 슈퍼 세일즈맨 조 지라드*Joe Girard* 역시 마찬가지다. 그는 15년간 한 번에 한 대씩 총 1만 3,000여 대의 차를 팔았는데, 그의 판매량은 12년 연속으로 세계 기네스북에 오르기도 했다. 그는 '조 지라드의 250법칙'으로 유명한데, 여기에는 고객에게 주는 이득이 필수적이다.

그는 장례식과 결혼식에 초대할 만큼 중요한 사람은 250명이라는 것을 찾아냈다. 이를 통해 기존 고객 한 명으로부터 최대 250명을 소개받을 수 있음을 알아냈고, 실제로 그는 한 고객으로부터 평균 20명 이상의 고객을 소개받았다.

지금부터가 문제다. 낯선 사람을 소개로 만나 어떻게 영업을 했을까? 처음 보는 사람이 그에게 "무슨 일을 하세요?"라고 물으면, 그는 자신이 무슨 일을 하는지에 초점을 두고 말하지 않았다. 대신 자신이 하는 일이 고객에게 어떤 이득을 주는지에 초점을 맞춰서 대답했다. 그러면 그를 처음 보는 사람은 '아, 이 사람 내게 꼭 필요하구나' 하고 생각하게 된다고 한다. 그리고 그 사람은 지라드의 명함을 받아 잘 보관한 후 반드시 그에게 전화를 건다고 한다.

내가 아는 한 외제 차 판매왕 역시 그랬다. 그는 현재 판매왕의 비결을 활용해 제과점을 열어 대박을 터뜨리고 있다. 그의 영업 비결은 고객에게 이득을 퍼주는 것에 있다. 가령 에어백 성능이 좋은 자사 제품을 영업할 때 이렇게 말한다고 한다.

"아는 친구가 몇 달 전에 3중 추돌 사고를 당했어요. 그런데 딸만 살아남고, 친구와 아내가 사망하고 말았지 뭐예요. 뒷좌석에 앉아있던 딸은 에어백이 살렸다고 하더라고요. 다행히 에어백 성능이 우수해서 딸은 가벼운 찰과상만 입고 위기를 모면했습니다. 고객님, 가족을 생각하신다면 에어백이 좋은 차로 바꾸시는 게 좋습니다."

이런 말을 들은 고객은 정신이 번쩍 든다. 자식과 아내의 얼굴이 스친다. 그리고 조금 무리를 해서라도 안전을 위해 외제 차를 구입하고자 한다. '안전'이라는 이득을 결코 놓치지 않기 위해서 말이다.

⇉ 부가 혜택이 부리는 마법

제품 자체가 주는 이득과 함께 부가 혜택이라는 이득도 고객의 지갑을 여는 마술을 부린다. 요즘 인터넷 쇼핑과 TV 홈쇼핑 구매율이 높아지며 온라인에서 오프라인 이상으로 많은 매출이 생기고 있다. 모 시장조사 기업에 따르면, 소비자들이 홈쇼핑을 이용하는 첫 번째 이유는 싼 가격으로 나왔다. 이 뒤를 무이자 할부, 추가 구성 등 부가 혜택이 이었다. 이처럼 소비자는 제품을 구입할 때 절대적으로 이득을 고려한다는 것을 알 수 있다.

최근 우리카드에서는 홈쇼핑을 많이 이용하는 고객을 위한 카드 상품을 발 빠르게 내놓았다. 이 카드에는 부가 혜택이 푸짐하다. 홈쇼핑에서 상품 구매 시 청구 할인을 해주면서 영화관, 놀이공원, 패밀리 레스토랑, 커피 전문점 할인 혜택도 제공한다. 이처럼 부가 혜택이 많으니, 고객은 이 카드를 그냥 지나칠 수 없다. 카드가 주는 부가 혜택에 발목이 잡히기 때문이다. 홈쇼핑의 주요 고객인 가정주부의 경우 가족을 위한 놀이공원 할인과 패밀리 레스토랑 할인 혜택을 놓치고 싶지 않다. 대학생이나 사회 초년생은 늘 입에 달고 다녀서 매달 지출되는 커피 값이 부담이었기 때문에 커피 전문점 할인이 마음에 쏙 든다.

고객의 이득을 먼저 챙기는 자세는 쇼핑호스트에게도 필수다. 제품과 부가 혜택의 이득을 부각시킴으로써 매출을 높일 수 있다. 해당 제품을 구매하면 어떤 이득이 고객에게 돌아가는지 구체적으로 염두에 두고 제품을 철저히 소개하는 태도가 필요하다. 그래야 홈쇼핑 방

상대를 내 편으로 만드는
한 마디

송을 보는 고객이 당장 전화기를 들게 된다.

"교수님, 계약을 잘 따낼 수 있는 프레젠테이션 비법 좀 하나만 알려주세요."

기업체 프레젠테이션 담당자들이 종종 내게 이런 요청을 해온다. 그들은 프레젠테이션의 다양한 기술을 이미 모두 섭렵했다. 그러고서도 1퍼센트 부족한 점을 채우고자 내게 상담해온다. 그들에게 내가 할 수 있는 말은 단 하나다.

"간단합니다. 고객사에 이득을 주면 됩니다. 가능하면 많은 이득을 퍼주세요. 그러면 그럴수록 고객사는 계약을 하고 싶어 합니다. 이윤을 추구하는 비즈니스 세계에서, 이득을 주는 것만큼 더 확실하게 계약을 따내는 비결은 없지 않을까요? 이윤을 추구하는 기업이라면 반드시 이득을 쫓기 마련입니다."

콘텐츠의 깊이가
말의 깊이를
결정한다

Chapter 04

롱 런(Long learn) 해야 롱런(Long-run)할 수 있다

누구나 출발점은
똑같다

국민 MC하면 누구나 유재석을 떠올린다. 그는 수많은 예능 프로에서 깔끔하고 매끄러운 진행으로 많은 시청자의 눈을 사로잡고 있다. 현재 그가 진행하는 프로만 봐도, 그가 왜 우리나라 최고의 MC인지 알 수 있다. 그의 장점은 여느 MC와 달리 게스트를 편하게 한다는 점이다. 앞으로 나서서 많은 말을 내뱉는 일이 없다. 그러면서 꼭 필요한 말을 적재적소에 던지는 재능이 뛰어나다.

게다가 약간 높은 톤의 목소리도 예능 프로의 특성에 잘 어울린다.

시도 때도 없이 웃음 폭탄이 터지는 동적인 방송에는 낮은 톤보다 오히려 높은 톤이 제격이다. 그래서 그의 목소리는 듣기 편하다. 일본의 라디오 DJ이자 내레이터인 아소 켄타로는 말했다.

"듣기 편한 목소리란 매력 있는 목소리를 일컫는다. 이는 목소리 톤의 고저와는 전혀 상관없다. 비록 허스키한 목소리일지라도, 혹은 아주 높은 톤의 목소리일지라도 듣기에 독특한 매력이 있다면 자연스럽게 그 사람의 말을 경청하게 된다."

이처럼 뛰어난 언변을 갖고 있는 MC 유재석은 말하기의 비결을 '소통'에 두고 있다. 그는 소통을 통해 최고의 예능 MC가 될 수 있었다. 이런 그는 오랜 방송 경험을 살려 자신만의 '소통의 법칙 10'을 만들었다. 이는 말하기와 소통에 관심이 많은 이들에게 회자되고 있다.

소통의 법칙 10

1. '앞'에서 할 수 없는 말은 '뒤'에서도 하지 마라. 뒷말은 가장 나쁘다.
2. '말'을 독점하면 '적'이 많아진다. 적게 말하고 많이 들어라. 들을수록 내 편이 많아진다.

콘텐츠의 깊이가
말의 깊이를 결정한다

3. 목소리의 '톤'이 높아질수록 '뜻'은 왜곡된다. 흥분하지 마라. 낮은 목소리가 힘이 있다.

4. '귀'를 훔치지 말고 '가슴'을 흔드는 말을 해라. 듣기 좋은 소리보다 마음에 남는 말을 해라.

5. 내가 '하고' 싶어 하는 말보다, 상대방이 '듣고' 싶은 말을 해라. 하기 쉬운 말보다 알아듣기 쉽게 이야기해라.

6. 칭찬에 '발'이 달렸다면, 험담에는 '날개'가 달려있다. 나의 말은 반드시 전달된다. 허물은 덮어주고 칭찬은 자주해라.

7. '뻔'한 이야기보다는 '펀^{fun}'한 이야기를 해라. 디즈니만큼 재미나게 해라.

8. 말을 '혀'로만 하지 말고 '눈'과 '표정'으로도 해라. 비언어적 요소가 언어적 요소보다 더 힘 있다.

9. 입술의 '30초'가 마음의 '30년'이 된다. 나의 말 한 마디가 누군가의 인생을 바꿀 수도 있다.

10. '혀'를 다스리는 것은 나지만, 내뱉어진 '말'은 나를 다스린다. 함부로 말하지 말고, 한 번 말한 것은 책임져라.

이를 보면 그가 참으로 소통의 달인임을 깨닫게 된다. 또한 그가 말로 성공할 수밖에 없는 이유를 알 수 있다. 그런데 과연 유재석의 뛰어난 언변은 타고난 것일까? 그는 출발선상에서부터 탁월한 말재주를 갖고 있었을까?

사실 그렇지 않다. 그도 데뷔 초기에는 지금과 많이 달랐다. 20대이던 그는 〈연예가중계〉 리포터를 하면서 버벅거리는 말실수를 연발했다. 극도의 긴장에 방송을 제대로 하지 못했다. 그래서 "죄송합니다"라고 말하기까지 했다. 그리고 그는 방송에서 하차하게 된다.

지금은 누가 그 당시의 그를 떠올릴 수 있을까? 나는 그의 과거를 잘 알고 있다. 그래서 조언을 구하는 이들에게 말해왔다.

"국민 MC 유재석도 과거에는 방송에서 하차할 정도로 말을 못했어요. 본래 그는 다른 연예인에 비해 언변이 떨어졌던 거죠. 그런 그가 자신의 문제점을 잘 극복한 끝에 지금의 자리에 설 수 있었어요. 그러니까 내 목소리가 안 좋고 말하기 능력이 떨어진다고 한탄하거나 좌절하지 마세요. 노력을 하는 만큼 얼마든지 나은 모습으로 변할 수 있어요."

⇒ 말하기 능력은 타고나는 게 아니다

사람의 말하기 능력은 대부분 어릴 때 결정된다. 그렇다고 어머니

배 속에서 말하기 능력을 갖고 태어나는 것은 아니다. 결국 어릴 때 부모에게서 어떤 영향을 받았는지가 중요하다. 말을 잘하는 사람은 부모에게서 좋은 영향을 받았다고 할 수 있다. 아이에게 좋은 영향을 주는 부모는 모범적으로 말하는 것이 생활화되어있다. 또한 아이가 자기의 의사를 또박또박 전달할 수 있도록 지지해주고, 정확하고 다양하게 표현할 수 있도록 배려하면서 가르친다.

"말을 할 때는 상대방의 눈을 보고 말해야 돼."

"말을 할 때는 항상 상대방의 입장을 고려해야 돼."

"너무 빨리 말하면 상대방이 잘 알아듣지 못해. 그러니까 천천히 말하렴."

이에 반해 아이에게 안 좋은 영향을 주는 부모는 자신부터가 말을 잘 못한다. 다다다다 쏘아붙이거나, 상대방에게 함부로 반말을 하고, 정확하게 표현하지 못한다. 이와 함께 아이들에게 늘 이런 말을 한다.

"넌 왜 항상 말꼬리를 흐리는 거야."

"네 말은 들을 필요가 없어."

"참말로 넌 말주변이 없어."

내게 도움을 요청하는 이들은 후자의 경우다. 어릴 때 뿌리내린 안 좋은 말하기가 사회 활동을 하는 데 걸림돌로 작용하는 상황이라고 할 수 있다. 이런 이들에게 강조하는 것이 있다. 태어날 때부터 말 잘하는 사람은 없다는 사실이다. 자라면서 가정환경에 의해 말하기 능력이 결정된다는 설명도 덧붙인다. 그러면서 말을 잘 못하는 것은 나쁜 습관에 원인이 있으므로 이 습관을 버리는 것이 대책이라고 알려준다.

말하기에서만큼은 누구나 출발점이 똑같다. 먼저 앞서 나간 사람이 있고, 뒤처지는 사람이 있다. 하지만 노력해서 낡은 습관을 버리면 순위가 뒤바뀐다는 것을 잊지 말자. 유재석처럼 말이다.

콘텐츠의 깊이가
말의 깊이를 결정한다

무대에 오른
뮤지컬 배우처럼

⇉ 한 편의 공연 같은 대통령의 연설

"만약 아직도 미국이 모든 것을 할 수 있는 무한한 가능성의 나라
임을 의심하는 사람이 있다면, 아직도 선조들의 꿈이 우리 시대에도
살아있는가 묻는 사람들이 있다면, 민주주의의 힘에 의문을 품은 사
람이 있다면, 오늘 밤이 바로 당신의 의문에 대한 답입니다."

2008년 대선에서 승리한 뒤, 버락 오바마가 지지자들에게 행한 연
설이다. 에듀케이션 월드의 제이슨 토마즈위스키에 따르면, 이 연설
은 미국 역대 대통령의 연설 가운데 세 손가락 안에 든다고 한다. 첫

번째는 조지 워싱턴$^{George\ Washington}$의 고별 연설이고 두 번째는 에이브러햄 링컨$^{Abraham\ Lincoln}$의 게티즈버그 연설이다. 이처럼 뛰어난 언변을 자랑하는 오바마. 그는 훌륭한 연설자가 보여줄 수 있는 거의 모든 면모를 보여주고 있다.

그의 연설은 똑같은 톤으로 이어지는 경우가 없다. 마치 뮤지컬처럼 리듬을 타면서 도입부를 열고, 청중을 클라이맥스로 이끈 다음 잔잔하게 결론으로 나아간다. 눈을 감고 귀로 듣고만 있어도 전혀 지루함이 느껴지지 않는다. 목소리 하나로만 놓고 보면, 그는 무대 위를 휘젓고 다니는 뮤지컬 배우와 같다.

중저음 목소리를 바탕으로 때로는 약하게 때로는 강하게, 그러면서 때로는 느리게 때로는 빠르게 말을 이어간다. 이와 함께 자신이 하는 말의 내용에 맞춰 감정을 잘 싣는다. 상황에 따른 제스처와 폭넓은 시선 처리는 청중을 감동의 도가니로 몰아가기에 충분하다.

말이 그냥 말로 끝나지 않음을 단적으로 보여준 사례가 둘 있다. 그는 여기에서 말하기가 연기와 노래로 승화된 뮤지컬이 될 수 있음을 잘 보여준다. 먼저 2011년, 미국 애리조나주 투산에서 벌어진 총기 난사 추모 연설이다. 이른 바 '51초의 침묵'으로 알려진 연설이다.

"나는 미국의 민주주의가 크리스티나가 꿈꾸던 것과 같았으면 좋

콘텐츠의 깊이가
말의 깊이를 결정한다

겠다고 생각한다. 우리 모두는 어린이들이 바라는 나라를 만들기 위해 최선을 다해야 한다."

이 말이 끝나자 그는 무려 51초 동안 한 마디도 하지 않았다. 그는 왼쪽을 본 후 오른쪽을 봤다. 그러고 나서 심호흡을 하고 눈을 깜빡였다. 속으로 북받치는 감정을 추스른 것이다. 그 순간 그 어떤 말로 자신의 감정을 표현하는 것보다 차라리 침묵을 지키는 편을 선택한 것이다. 놀랍게도 그가 침묵하는 동안 청중석에서는 점점 열기가 달아올랐다. 그 열기의 정점인 51초가 되자 그는 다시 말을 이어갔다.

당시 미국의 언론은 이 연설에 대해 이렇게 호평했다.

"오바마 대통령의 감성적 화법이 미국 국민의 상처를 어루만졌다."

다음은 2015년, 미국 사우스캐롤라이나주 찰스턴 대학에서의 연설이다. 그는 총기 희생자인 한 목사의 장례식에서 용서와 인권을 강조하는 추모 연설을 35분간 이어갔다. 그리고 연설의 절정 부분에서 깜짝 놀랄만한 모습을 보여주었다. 찬송가 '어메이징 그레이스^{Amazing Grace}(놀라운 은총, 얼마나 감미로운가)'를 부른 것이다.

"놀라운 은총, 얼마나 감미로운가. 나 같은 불쌍한 사람을 구했지. 한때 길 잃은 양이었지만, 길을 찾았네. 한때 눈이 멀었지만, 이제 볼 수 있다네."

그러자 단상의 목사들이 일어섰고, 이와 함께 성가대를 비롯한 6천 명의 참석자들이 한 목소리로 찬송가를 합창했다. 참석자들의 뺨에는 눈물이 흘러내렸다.

⇒ 같은 말도 리듬에 따라 다르게 들린다

연극과 뮤지컬, 둘의 차이가 뭘까? 둘 다 연기를 하는 무대 공연이라는 점에서는 같다. 그런데 후자는 전자에게 없는 것을 가지고 있다. 그것은 노래(리듬)다. 밋밋한 대사를 계속해서 듣는 것보다 한 곡의 생동감 넘치는 노래를 듣는 것이 훨씬 재밌다. 이 때문에 많은 관객들이 뮤지컬에 몰리고 있는 것이 분명하다. 이처럼 관객을 강력하게 끌어당기는 중요한 요소인 리듬은 말하기에도 적용해야 하지 않을까? 버락 오바마처럼 말이다.

말하기에 리듬을 살리기 위해서는 어떻게 해야 할까? 이를 위해서는 음량, 속도, 높낮이, 쉼의 네 가지가 필요하다. 이를 상황에 맞게 적재적소에 잘 활용할 때 마치 뮤지컬 배우와 같은 말을 연출할 수 있다. 그러면 이 네 가지 요소를 차례대로 살펴보자.

음량

지나치게 작은 목소리로는 아무것도 할 수 없다. 그렇다고 큰 목소리가 능사는 아니다. 청중의 입장에서 자신의 말이 충분히 전달될 수 있도록 목소리의 크기를 유지해야 한다. 상황과 말의 콘텐츠에 맞는 적당한 크기가 리듬을 여는 첫 단추다.

말의 속도

보통, 대중을 대상으로 말할 경우 1분에 200~300자가 적당한 속도다. 그런데 초보자의 경우 긴장한 나머지 빠르게 말하는 우를 범하기 쉽다. 이렇게 되면 청중의 이해도와 몰입도가 떨어지게 된다. 말의 속도를 늦추기 위해서는 입술을 위아래로 크게 움직여야 한다. 앞에서도 소개했던 EXID의 노래 '위아래'를 잘 활용해보자.

일반적으로 흥분, 기쁨, 분노가 표현될 때는 말이 빨라지고, 차분함, 슬픔, 상실감이 표출될 때는 말이 느려진다. 이렇게 말의 속도를 잘 조절하기 위해서는 자신의 목소리를 녹음해서 들으며 고쳐나가야 한다. 다음과 같이 연습해보자.

여러분, 유권자의 소중한 한 표를 행사하세요. - [빠르게]

센스 있는 말로 인생을 역전하십시오. - [빠르게]

세월호 사건을 생각하면 가슴이 아픕니다. - [느리게]

독서와 사색의 계절, 가을이 찾아왔습니다. - [느리게]

말의 높낮이

목소리의 높낮이에 시시각각 변화를 줘야 청중의 집중도가 높아진다. 높낮이 없는 말은 단조롭기 때문에 그 자체로 자장가일 뿐이다. 말의 내용에 따라 강조할 때는 높은 목소리를 내야 한다. 아래 문장을 예로 들어보자.

나는 구청의 정책이 형편없다고 말하지 않았어요.

이 말에서 '나'를 강조하면, 다른 사람이 저 말을 한 것이라는 뜻이 된다. 또한 '않았어요'를 강조하면 내가 말한 것이 아니라는 뜻이 되며, '정책'을 강조하면 정책이 아닌 다른 것을 형편없다고 말했다는 뜻이 된다. 이처럼 어디를 강조하느냐에 따라 말의 의미가 달라진다는 것을 잊지 말자.

쉼(Pause)

문장이나 단어 앞에서 쉼을 통해 의미를 더욱 강조할 수 있다. 예

콘텐츠의 깊이가
말의 깊이를 결정한다

를 들면 "국민을 위한, (쉼) 국민에 의한, (쉼) 국민의 정부는 결코 이 지구상에서 사라지지 않을 것입니다"와 같다. 앞서 예로 든 오바마의 '51초의 침묵'도 마찬가지다. 말하지 않고 쉼으로써 더더욱 강하게 의미 전달을 해냈다.

궁금하게 만들면
성공한 것이다

⇟ 인생은 4개의 유리공과 1개의 고무공이다

"연설을 잘하려면 쉼 없이 조사하고 호기심을 자극하라."

코카콜라 홍보전문가 스티브 솔티스*Steve Soltes*와 루크 보그스 *Luke Boggs* 의 말이다. 이들은 좋은 연설을 자주 듣고 철저하게 조사해, 청중이 머 릿속으로 그림을 떠올릴 수 있도록 이미지를 자극하는 연설을 하라고 말한다. 또한 감성에 호소하면서 청중이 전혀 들어보지 못한 정보를 말하라고 한다.

콘텐츠의 깊이가 ●
말의 깊이를 결정한다 ❜

과연 이들이 말하는 좋은 연설이란 어떤 것일까? 이에 대해서는 브라이언 G. 다이슨^{Brian G. Dyson} 전 코카콜라 회장이 조지아텍 주립대의 172번째 졸업식에서 펼친 연설을 참고하자.

"인생을 5개의 공으로 공중에서 벌이는 묘기라고 생각해라. 그 공들을 일, 가족, 건강, 친구들, 그리고 영혼이라 이름 짓고 모두 공중에 떠 있게 하는 것이다. 곧 그대는 '일'이 고무공이라는 것을 알게 될 것이다. 떨어뜨리게 되면 그것은 곧바로 튀어 오를 것이다. 그러나 다른 4개의 공들, 즉 가족과 건강과 친구 그리고 영혼의 공은 유리로 만들어져 있다. 그대가 이들 중 하나라도 떨어뜨리면 그것들은 끊어지고, 흠터 입고, 칼자국 생기고, 못쓰게 되고, 부서지기까지 한다. 결코 전과 같지 않게 될 것이다. 그 사실을 깨닫고 그대의 삶에서 균형을 유지하도록 애써야만 한다."

참으로 호기심을 불러일으키는 신선한 연설이 아닐 수 없다. 인생을 저글링 묘기에 비유해 다섯 개의 공을 공중에 떠올리는 것이라고 말하고 있다. 이 이야기를 듣는 순간, 청중은 머릿속으로 허공에 떠오른 다섯 개의 공을 상상하게 된다. 이와 함께 연설이 어떻게 전개될지 호기심을 품게 된다. 연설자는 호기심으로 반짝이는 청중의 눈빛에서 자신감을 갖고 의욕적으로 연설을 이어나갈 수 있다.

그런데 또다시 의외의 말이 등장한다. 일에 관한 말이다. 많은 사람이 성공을 위해 일에 집착하고 있다. 일이야말로 인생 최고의 가치라고 여기기도 한다. 한데 그는 일이 떨어져도 다시 튀어 오르는 고무공이라고 말한다. 이에 비해 가족, 건강, 친구, 영혼은 유리공이기 때문에 일단 떨어지면 산산조각이 나고 만다고 했다. 이렇게 세 단락의 연설을 마친 후 그는 비로소 진짜 메시지를 꺼낸다.

"어떻게? 자신을 남과 비교함으로써 스스로의 가치를 손상시키지 마라. 우리 모두는 다르고 우리 각자가 특별하기 때문이다. 목표를 세우되 남들이 중요하다고 생각하는 것들에 따라 두지 마라. 그대만이 그대에게 최상인 것을 안다."

이 메시지는 보다시피 딱딱하고 밋밋하다. 만약 이 메시지를 앞부분에 내놓고 이야기를 전개했다면 이 연설은 실패작이 되지 않았을까?

근래 방송에서 강연 프로그램이 많이 나오고 있다. 대표적으로 KBS1 〈강연 100℃〉, SBS 〈지식나눔 콘서트 - 아이러브인〉, tvN 〈스타

콘텐츠의 깊이가
말의 깊이를 결정한다

특강쇼〉, MBC에브리원 〈세상에 단 하나뿐인 강의〉를 들 수 있다. 이런 강연물이 시청자에게 인기 몰이를 하는 이유가 뭘까?

간단하다. 뻔한 이야기, 진부한 이야기와는 전혀 다른 새롭고 흥미진진한 이야기가 소개되기 때문이다. 시청자들은 책을 통해서도 채울 수 없었던 저자에 대한 호기심, 그리고 저자의 콘텐츠에 대한 호기심을 충족하고자 강연에 시선을 집중하고 있다. 강연자 역시 이런 시청자의 호기심에 부응하고자 팔팔 살아 숨 쉬는 이야기를 전달하고 있다.

일례로 KBS1 〈강연 100℃〉에 나온 출연자들을 보자. 그들 한 명 한 명의 삶 자체가 신선한 스토리다. 수능 시험에 응시한 할머니, 고3 때 아버지에게 간이식을 한 서울대생, 요리를 통해 배려를 전하는 셰프 최현석, 14세 드러머 김태현 등 수없이 많다.

그들의 이야기는 다소 거칠고 정돈되지 않은 면도 있다. 전반적으로 세련된 것과는 거리가 멀다. 그런데 시청자들은 그들의 말을 들으면서 전혀 부담감이나 거부감을 느끼지 못한다. 시청자들은 강연자가 전하는 스토리에 빠져든다. 그 다음은, 또 그 다음은 어떻게 되었을까 하고 호기심을 가지며 계속 시청한다. 〈강연 100℃〉의 강연자들은 자신의 진솔한 삶을 이야기함으로써 저절로 시청자들의 마르지 않는 호기심을 자극하기에 충분했다.

누구나 새로운 이야기에 집중한다

명연설은 수없이 많지만, 사실 그 속에 담긴 메시지는 비슷비슷하다고 볼 수 있다. 사랑, 헌신, 애국, 봉사, 평화 등 보편적인 가치다. 이를 날 것으로 그냥 말하면 정말로 식상할 수밖에 없다. 하지만 자신만의 언어로 옷을 갈아입혀 말한다면, 늘 청중의 호기심을 불러일으킬 수 있다.

그렇다면 어떻게 호기심을 자극하는 말을 할 수 있을까? 이를 위해서는 치밀한 준비 과정이 요구된다. 호기심을 자극할 수 있는 이야기의 재료를 많이 구축하는 과정이다. 이를 위해 두 가지가 필요하다.

우선 세상과 주위의 사물에 대한 날카로운 관찰력을 길러야 한다. 세심하게 주위를 꼼꼼히 살펴보다 보면, 전에 보지 못했던 것들이 눈에 들어오기 시작한다. 이와 함께 그것에 담긴 의미가 가슴에 와 닿게 된다. 자신이 직접 체험해서 얻은 감상은 다른 책이나 방송, 신문에서 구할 수 없는 소중한 자산이다. 그러니 이를 자신의 이야기 속에서 언급하면 청중의 호기심을 자극하기에 충분하다.

그 다음, 매일 신문을 스크랩하는 습관을 가져야 한다. 신문을 보다 보면 '아, 이거 말할 때 써야지' 하는 정보를 접하게 된다. 문제는 너무나 세상이 빠르게 바뀌고, 그에 따라 정보가 초고속으로 대중에게 전

콘텐츠의 깊이가
말의 깊이를 결정한다 ,

달된다는 점이다. 그래서 내가 주의 깊게 본 기사를 이미 다른 곳에서 말해버린 경우가 많다. 일례로 라디오 프로의 오프닝 멘트가 그렇다. 따라서 매일같이 여러 종류의 신문을 보고 스크랩을 해둬야 늘 신선한 이야기의 재료를 준비할 수 있다. 이 과정에서 이미 누군가 사용했다고 판단되는 재료는 과감히 버리자. 아무도 접하지 못한 이야기를 꺼내들 때 청중은 귀를 쫑긋 세운다.

누군가 내게
직업을 묻는다면

⇉ 말 한 가지로 팔방미인이 되다

"하나도 제대로 하기 어려운데 어떻게 여러 가지 일을 잘할 수 있습니까?"

이런 질문에 나는 이렇게 답한다.

"저를 보세요. 저는 고등학생 때 리포터를 시작해 성우, MC는 물론 가수도 하고 있어요. 한 부문에서도 실력을 인정받기 힘들다 하지만 여러 부문에서 다 인정받고 있어요. 기본적으로 좋은 목소리를 가지고 있으니까 비즈니스의 요구에 따라 얼마든지 다양한 음성을 연출할

콘텐츠의 깊이가 ●
말의 깊이를 결정한다 ﹚

수 있지요. 새로운 영역에 대한 끊임없는 도전 정신과 성실성을 갖고 있다면 얼마든지 여러 영역에서 실력을 발휘할 수 있어요. 성우든, 리포터든, MC든 다양한 요리를 연출할 수 있는 셰프가 되어야 합니다."

실제로 나는 고등학생 때 지방 방송 리포터를 제일 먼저 시작했다. 이후 성우 수업을 받고나서 그 길을 걸어갔다. 대표적으로 여성가족부 스몰웨딩 캠페인 다큐, 홍콩 필름마트와 상하이 필름 페스티벌, 칸느 MIPTV 등에 출품된 다큐멘터리 더빙을 했다. 이때, 배한성 선생님을 만나 지금까지 교유해오고 있다. 나의 사교성을 주목하던 이들은 나를 성우로 눌러앉히지 않았다. 여러 차례 내게 행사 사회자를 권해왔다.

처음에는 많은 사람들 앞에 나선다는 것이 두려워 선뜻 그 제안에 응하지 못했다. 시간을 두고 곰곰이 생각했다. 내 속에는 아직도 발굴되지 않은 잠재 능력이 무궁무진할 것이라고 보았다. 요즘 센스 있는 MC로 인정받는 가수 유희열만 해도 처음에는 내성적인 자신과 MC가 맞지 않는다고 생각했다고 털어놨다. 그런 그가 미지의 영역인 MC 일을 시작한 후 오늘에 이르고 있다. 그는 언젠가 MC를 하길 정말 잘했다고 밝혔다. 나도 마침내 유희열을 떠올리면서 심사숙고 끝에 MC 제안에 승낙했다.

"내가 MC를 잘할 수 있는지 없는지 시도해봐야 알 수 있어. 만약

MC를 해서 좋은 평가를 얻지 못한다면 그때 그만둬도 상관없지. 일단 온 에너지를 MC에 맞추어 하나씩 하나씩 풀어나가 보자고."

이렇게 해서 작은 행사의 MC를 시작으로 순탄대로를 걸어갔다. 물론 작은 실수가 수도 없이 많았지만 전체적으로 좋은 평가를 받아왔다. 내가 진행한 큰 행사는 이렇다. 815 광복절 통일 대축제, 국보 문화 축제, 31절 행사, 서울시 색동 축제, 64 지방 선거 지역 후보자 초청 토론회, 한중일 댄스 페스티벌, 대전과 천안시 음악회 및 콘서트, 진주 드라마 OST 페스티벌, 진주 한류 KPOP 콘서트, 8090 콘서트…. 그리고 여성가족부 후원 팟캐스트 라디오 〈비바 마이 라이프, 오 마이 웨딩〉도 있다.

여기다가 얼마 전에는 음반을 내기도 했다. 상황이 이렇다 보니 누군가 내게 직업을 물어오면 딱 부러지게 말하기 힘들다. 리포터이자 성우며 MC에 가수고 이를 발판으로 보이스 트레이너로 일하고 있으며 교수로 활동하기 때문이다. 그래서 이를 다 아울러서 '보이스테이너'라고 소개한다. 좋은 목소리를 바탕으로 그것이 요구하는 어떤 분야에서도 능숙하게 실력을 발휘할 수 있다는 의미다. 실제로 나는 여러 분야에서 골고루 좋은 평가를 받아왔다. 그래서 해당 업계는 끊임없이 내게 콜을 해온다.

콘텐츠의 깊이가
말의 깊이를 결정한다

⇒ 한 우물만 파면 성공할 수 있을까?

흔히 한 우물을 파야 성공한다고 한다. 과거에는 이 말이 옳았지만 급변하는 지금은 상황이 크게 달라졌다. 결코 한 분야에만 정통해서는 인정받을 수 없는 사회가 되었다. 여러 분야에서 다양한 요리를 선보일 수 있어야 한다. 이는 유명 인사를 봐도 알 수 있다.

우선 안철수를 예로 들어보자. 그는 의사에 백신 개발자, 벤처 사업가이며 작가고 또한 교수다. 여기다가 얼마 전에는 그간의 성공을 발판 삼아 정치계에 입문했다. 그는 모 강연에서 이렇게 말했다.

"이제 세상에는 한 가지만 잘하는 사람은 더 이상 필요하지 않습니다. 도요타가 제시한 T자형 인재를 넘어서 A자형 인재가 돼야 합니다."

T자형 인재는 한 분야는 물론 다른 분야에서도 정통한 사람을 말한다. 자기 분야를 깊이 있게 파는 것과 함께 연관된 다른 분야에도 식견을 갖추는 인재를 일컫는 말이다. 안철수는 이런 인재로도 부족해 커뮤니케이션이 추가된 A자형 인재를 요구하고 있다. 이제는 다방면에 능통한 멀티테이너가 되어야 리더의 자리에 오를 수 있다.

요즘 핫한 요리연구가(쉐프테이너)인 백종원은 어떤가? 그는 기본적으로 뛰어난 요리연구가이다. 여기에다 그는 다른 요리 전문가에게 없는 것을 가지고 있다. 바로 친근한 예능적인 말투이다.

"내 말투가 맛있쥬?"

언제부터인가 "~했쥬?"라는 말투가 익숙해지고 있다. 안방극장과 스크린에서 들려오는 충청도 사투리가 위력을 발휘하고 있다. 느긋하면서도 여유 있는 말투가 슬며시 시청자, 관객들에게로 파고들었다.

최근 '셰프테이너' 열풍을 이끄는 것은 누가 뭐래도 백종원이다. MBC 〈마이 리틀 텔레비전〉이 파일럿 방송을 시작할 때부터 센세이셔널한 관심을 물고 온 백종원은 쉽게 따라할 수 있는 요리는 물론이고, 힘 들어가지 않은, 능청스러운 진행으로 시청자들을 '백종원 중독'으로 이끌고 있다.

〈마이 리틀 텔레비전〉 〈집밥 백선생〉 등에서 백종원은 진행과 요리 등을 함께 하고 있는데 '진행은 표준어로 해야 한다'는 전제를 완전히 깨뜨린다. "피드백, 의사소통의 대가"라는 평가를 받고 있는 백종원의 고향은 충청남도 예산. 그의 느긋한 말투는 설탕을 넣을 때도 "쏴~아악" 하고 의성어를 쓰며, 능청스러운 진행에는 일부러 바꾸지 않은, 구수함이 살아있는 말투가 큰 힘을 보여주고 있다. 백종원이 출연하는 프로그램의 시청자들은 "표준어는 아니지만, 비속어나 은어를 많이 쓰지 않으면서도 그냥 편하게 이야기하는 듯한 말투 때문에 특별히 거슬리지 않고 듣기에 편안하다"는 반응을 보인다.

보이스 분야에서는 성우 배한성 선생님이 대표적이다. 배한성 선

콘텐츠의 깊이가
말의 깊이를 결정한다 ,

생님은 원래 배우 지망생이었지만 작은 키와 평범한 외모 탓에 이를 포기했다. 그런 그분이 타고난 목소리로 실력을 발휘할 수 있는 성우의 길에 들어섰다. 그분의 목소리는 빛이 났다. 사람들은 그분을 '천의 목소리'의 주인공이라고 불렀다. 하지만 그분은 성우에만 머물지 않았다. 라디오 DJ, MC, 배우, 강사, 칼럼니스트에 교수까지 활동 영역을 넓혔다. 이렇게 해서 그분은 오랜 세월 본업인 성우는 물론 다양한 분야에서도 활약할 수 있었다. 개인적으로 배한성 선생님과 KBS〈아침마당〉방송에 '목소리 달인' 편에 함께 출연한 바 있다. 배한성 선생님은 개인의 브랜드 이미지를 넓히면 넓힐수록 롱런한다고 하면서 이렇게 말씀하셨다.

"다양한 분야에서 활동하고 있기에 욕심이 끝없다고 하지만 이것은 변화하는 시대에 따른 것이다. 변화하는 시대에 스스로가 변하지 않고 세상 탓을 해본들 소용이 없다. 프리랜서에게는 본업을 부업으로 바꿀 수 있는 유연성이 필요하다."

우선 한 가지 분야에 정통할 정도로 파고들자. 하지만 그것에 만족하거나 안주하지 말자. 그것을 토대로 연관된 분야로 활동 영역을 쉼없이 넓혀가자. 그래야 당신을 부르는 고객들에게 언제든지 식상한 한 가지 요리만 내보이지 않고, 다양한 요리를 선보일 수 있다.

인문학 습관이
최고의 자산

⇒ 말의 깊이는 독서에서 나온다

"독서가 오늘의 저를 있게 했습니다. 책을 통해 받았던 위안과 은혜를 사람들에게 되돌려주고 싶습니다. 책은 삶에 희망이 있다는 것을 저에게 가르쳐주었어요. 독서를 하면서, 세상에는 내 처지와 같은 사람들이 많다는 것도 알았습니다. 그리고 책은 저에게 성공한 사람들과 그들이 이룬 업적을 저 역시 이룰 수 있다는 가능성을 보여주었어요."

오프라 윈프리의 말이다. 그녀는 춥고 배고팠던 청소년기의 위기를 독서로 극복했다고 밝혔다. 자칫 빈민가의 다른 동년배처럼 일탈의 길을 걸어갈 뻔했던 오프라 윈프리. 그녀는 흑인 여성의 강인한 삶을 다룬 책을 읽으면서 역경을 극복할 의지를 얻었다고 말했다. 그녀는 너무나 책을 사랑한 나머지, 토크쇼에서 책을 소개하는 것도 모자라 북클럽을 만들기까지 했다. 이런 그녀의 열정 탓에 미국 전역에 독서 열풍이 일어났다.

놀라운 것은 그녀의 토크쇼에 소개된 책들이 하나같이 베스트셀러가 되었다는 사실이다. 이렇게 놀라운 성과에 대해 어느 출판 평론가는 "단기간에 국민들이 책을 읽도록 만든 사람은 중국의 모택동 이외에는 윈프리가 처음"이라고 말했다.

이처럼 놀라운 성과가 나올 수 있었던 것은 역시 그녀의 독서 습관 때문이었다. 어릴 때부터 꾸준히 독서를 해온 그녀는 여러 방면에 걸쳐 해박한 지식을 갖추고 있었다. 그녀는 반드시 자신이 읽은 책만을 토크쇼에 소개하는 것으로 유명하다. 순수하게 자신의 관심을 자극한 책을 골라야만 시청자들에게 감동을 선사할 수 있기 때문이었다.

흔히 전문가들은 오프라 윈프리의 말에 주목하면서, 그 특징을 공감 혹은 경청이라고 설명한다. 물론 옳은 말이다. 그러나 여기에서 멈춘다면 그것은 피상적인 분석일 뿐이다. 많은 전문가들은 탄탄한 독서에 뿌리를 둔 오프라 윈프리의 지적인 말하기를 정작 간과하는 듯하다. 그녀는 해박한 인문학적 소양을 가지고 있기 때문에 사회 각계의 전문가와 막힘없는 대화를 진행할 수 있었다. 정치, 경제, 문화, 역사, 예술 등 다방면에 걸쳐 습득한 지식이 그녀의 말을 풍요롭게 만들었다. 그러면서도 그녀는 아는 척 자신을 내세우지 않는다.

인문학 없는 말은 황무지와 같다

이어령 전 장관 역시 인문학으로 무장한 말로 정평이 나있다. 그는 여든이 넘은 나이에도 늘 새로운 현상에 대한 질문과 해답을 내놓는다. 그는 어떤 분야에도 사통팔달 막힘없이 넘나드는 지식욕을 보여줄 뿐만 아니라 한 번 입을 열었다 하면 몇 시간이고 달변을 쏟아낸다. 정작 그는 '달변'이라는 말을 꺼려한다.

"달변이라는 말은 내용이 없어도 청산유수라는 소리인데, 참 모욕적이에요. 누가 청산유수시네요, 하면 할 말이 없어요."

그의 말하기는 알맹이 없는 달변이 아니다. 그의 말은 다방면의 깊이 있는 지식으로 가득 차있다. 그래서 그는 '박학다식한 화자'라고 할 수 있다. 그런데 누가 들어도 그의 목소리는 좋다고 하기 어렵다. 다소 쉰 듯한 소리가 감점 요소로 작용할 수 있다. 하지만 폭포수처럼 화려하게 쏟아내는 인문학적 식견이 그를 이 시대의 탁월한 지식인

콘텐츠의 깊이가
말의 깊이를 결정한다

중의 한 명으로 자리매김했다. 기라성 같은 정치인, 기업인, 행정가, 교수, 언론인들이 바쁜 일정에도 불구하고 그를 찾아가 그의 말을 경청하는 까닭이 여기에 있다.

도올 김용옥도 마찬가지다. 그는 카랑카랑한 목소리로 해박한 인문학 지식을 유감없이 보여준다. 노자를 비롯한 중국철학과 현대철학, 불교, 기독교, 역사까지 종횡무진이다. 그의 머릿속은 고리타분한 고전으로만 채워진 것이 아니다. 그의 사고는 늘 현재와 맞닿아있다. 고전을 언급하면서도 지금의 현실을 반추하게 한다. 그래서 그의 말은 여느 학자의 그것과 달리 듣는 이로 하여금 가슴 뛰게 만든다. JTBC〈차이나는 도올〉강의를 엿보자.

"이런 거나 수리하려고 국력 낭비하다가 결국 명나라가 망했고, 그리고 내가 여기 들어올 수 있었던 것은 지들끼리 분란을 일으켜 날 불러들인 거지, 내가 왜 만리장성하고 싸우냐. 이거는 헛거다. 이제 이 대청제국에 화이지분(중국과 오랑캐의 구분)도 없다. 성안과 바깥을 구분하는 건 중국이 아니다. 이런데다가 군사 배치하는 건 병력만 분산시키고 쓸데없는 낭비를 하는 것이다. 이런 걸로 국방이 되는 게 아니다."

도올은 중국의 만리장성이 강한 국력의 상징이 아니라 오히려 국력 낭비의 대표적인 사례라고 열변을 토한다. 만리장성을 관리하고 유지하느라 엄청난 국력 손실을 발생시켰다는 것이다. 그는 여기에서 그치지 않는다.

"우리나라를 생각할 적에도 남북이 아무리 대치를 하고 벽을 쌓아봐야 안 된다는 거예요. 그걸로 우리가 국방이 되는 게 아니라는 거예요. 어떻게 하면 남북을 화해시키고 벽을 허물어야지. 장성은 무슨 장성이냐, 폐장성이라고 했는데. 장성을 다 없애버리라고 했는데. 우리 민족이 이제 남북의 벽을 허물고 평화를 외쳐야지. 왜 개성공단 같은 건 닫아버리고 이렇게 무지막지하게 해. 이것이 과연 우리 민족이 갈 길이냐."

만리장성의 사례를 통해 남북 분단의 우리 민족이 벽을 허물어야 함을 피력한다. 그러면서 개성 공단을 닫아버린 일은 절대 국방이 될 수 없음을 강조한다. 그냥 개성 공단을 닫지 말아야 한다고 외치면 아무래도 설득력이 없다. 그런데 절묘하게 만리장성의 근거를 들었기에 그의 주장에는 다들 고개를 끄덕일 수밖에 없다.

인문학이 밑바탕되지 않은 말은 황무지와 같다. 늘 인문학으로 충전시켜주어야 말이 비옥한 숲으로 바뀌게 되고, 그 숲에는 영감과 지혜와 통찰이 넘실거린다. 인문학이라고 해서 어렵게 생각할 이유가 없다. 심리, 철학, 경제, 커뮤니케이션 등 관심 닿는 분야에서부터 책 읽는 습관을 가지면 된다. 배한성 선생님께서 늘 하시던 말씀이 있다. "롱 런Long learn 해야 롱런Long-run할 수 있다"는 것이다. 이 말을 꼭 가슴에 새기자.

콘텐츠의 깊이가
말의 깊이를 결정한다

어머니의 밥상 같은
한 마디

⇒ 말하기와 대본 읽기는 다르다

"A 화장품은 피부 보습을 필요로 하는 여성분에게 크게 어필할 것입니다. 왜냐하면 이 상품에는 타 제품에 없는 다섯 가지 특징이 있기 때문이죠. 첫 번째는 화학 성분이 단 1퍼센트도 들어있지 않은 식물성분 복합물이며, 두 번째는 요즘 세계적으로 유행하는….."

모 프레젠테이션 심사 때다. 한 발표자가 화장품에 대한 프레젠테이션을 진행했다. 그는 소비자에게 유익한 화장품 성분에 대하여 잘 조사했고 이를 하나하나 친절히 설명해주었다. 그의 발음과 제스처

어디 하나 나무랄 데 없었다.

문제는 두 가지였다. 우선 그가 대본을 외운 그대로 무미건조하게 반복하는 듯한 인상을 주었다는 점이다. 자료를 외우는 것은 잘못이 아니지만, 기계적으로 되풀이하면 참으로 지루하다. 자료를 외우고 충분히 소화한 뒤, 그것을 한 단계 뛰어넘는 모습이 나와야 한다. 그때그때 신선한 질문이나 재치 있는 코멘트가 곁들여져야 청중의 반응이 좋다. 그는 프레젠터라기 보다는 대본을 그대로 읽는 밋밋한 아나운서로 보여 아쉬웠다.

그 다음은 슬라이드에 너무 많은 글을 넣었다는 점이다. 청중은 슬라이드의 글귀를 신경 써서 읽지 않는다. 자신이 말하고자 하는 요지를 간략하게 압축해서 보여주는 것이 필요하다. 이때 적절하게 흥미로운 이미지를 활용할 수 있다. 청중은 백 마디 말보다 한 개의 이미지로 마음을 움직인다는 것을 잘 감안해야 한다.

이렇게 해서 이 발표자는 순위에 들지 못했다. 그는 프레젠테이션의 연습이 충분하지 못했고 프레젠테이션 기법에 대한 사전 준비가 부족했다. 이런 발표를 종종 접하게 되는데 이는 마치 식당에서 요리가 덜된 음식을 내놓는 것과 같다. 이런 요리를 내놓는 식당은 백이면 백 망할 것이 뻔하다. 대표적으로 준비가 미흡한 프레젠테이션의 유형에는 네 가지가 있다.

콘텐츠의 깊이가 ●
말의 깊이를 결정한다 '

자료 및 정보가 부실한 프레젠테이션

자신이 말하고자 하는 제품에 대한 자료를 충분히 섭렵한 후 발표를 해야 한다. 그런데 자신의 말솜씨만 믿고 자료를 대충 준비하는 일이 비일비재하다. 프레젠테이션은 뛰어난 언변을 자랑하는 곳이 아니다. 조금 말솜씨가 서툴더라도 완벽에 가까울 정도로 자료를 잘 준비하는 것이 낫다.

설교형 프레젠테이션

이는 프레젠테이션에서 목적과 기능을 망각한 경우다. 기본적으로 프레젠테이션은 고객의 니즈를 건드려 고객으로 하여금 자신의 제품을 구매하도록 설득하는 말하기다. 초보자의 경우 고객의 반응에는 아랑곳하지 않고 자신의 주장만 죽 늘어놓는 경우가 많다. 듣는 이, 즉 고객이 우선이라는 사실을 인지한다면 결코 설교를 늘어놓을 엄두가 나지 않을 것이다.

지나치게 슬라이드에 의존하는 프레젠테이션

파워포인트 한 장 한 장에 공을 들인 것까지는 좋다. 그런데 슬라이드에 지나치게 의존한 나머지 프레젠테이션의 중심이 발표자 자신임을 망각한다. 시선이 슬라이드에만 고정된 채로 발표가 진행되면 청중의 관심이 멀어질 수밖에 없다. 프레젠테이션에서는 항상 발표자가 중심이다. 슬라이드는 어디까지나 부수적으로 활용해야 한다.

자기자랑을 죽 늘어놓는 프레젠테이션

회사의 실적, 제품의 강점을 적절한 맥락에서 필요한 만큼 설명하는 것은 무방하다. 그런데 처음부터 끝까지 과도하게 자화자찬을 늘어놓으면 청중에게 거부감을 줄 수 있다. 청중의 눈높이에 맞추고, 청중에게 다가가 청중에게 필요한 정보를 전달해주어야 한다.

⇉ 어머니 밥상 같이 준비하라

그렇다면 프레젠테이션을 잘 준비하기 위해서 어떻게 해야 할까? 4P에 맞게 준비하면 된다. 4P는 People(듣는 사람), Place(장소), Purpose(목적), Presenter(말하는 사람)를 말한다. 4P, 즉 Product(제품), Price(가격), Place(유통), Promotion(촉진)에서 힌트를 얻어 만들어졌다. 그만큼 프레젠테이션이 마케팅과 밀접하다는 말이다. 좋은 프레젠테이션이 되려면 정성 들인 어머니 밥상처럼 4P에 만반을 기해 잘 준비해야 한다.

콘텐츠의 깊이가 ●
말의 깊이를 결정한다 ,

People - 듣는 사람을 사전에 잘 분석해야 한다

청중의 수, 취향과 학력 및 경제 수준과 함께 청중이 원하는 것이 무엇인지를 파악해야 한다. 프레젠테이션의 방향은 결국 청중으로 기울어져 있기 때문에, 프레젠테이션의 성패는 청중에 대한 분석에 달려있다고 해도 과언이 아니다. 영업 사원은 현장에서 고객에게 제품을 판다면, 프레젠터는 발표회에서 고객에게 제품을 사도록 설득하는 것이다. 고객을 알아야 프레젠테이션이 춤을 춘다.

Place - 장소를 점검해야 한다

발표 장소의 배치와 스크린, 좌석 배열, 조명, 냉난방 등을 잘 확인해두어야 한다. 이는 현장에서 최고의 효율을 내는 프레젠테이션을 위한 필수 요건이다. 기자재가 고장 나거나 주최 측의 실수로 준비되지 않는 상황까지 염두에 두고 미리 준비해야 한다. 청중은 그런 상황을 결코 감안해주지 않는다. 여자 친구에게 프러포즈 이벤트를 한다고 생각하고 현장의 모든 면을 빠짐없이 체크해야 당연하다.

Purpose - 목적을 잊지 말아야 한다

프레젠터는 프레젠테이션이라는 배에 청중을 태워 여행을 떠난 선장이다. 따라서 항시 그의 머릿속에는 여행의 행선지를 향한 방향키가 선명하게 그려져 있어야 한다. 도중에 엉뚱한 방향으로 배를 몰고 가는 일이 생기지 말아야 한다. 프레젠테이션의 궁극적인 목적은 알기 쉽게 핵심을 짚어주어 청중을 설득하는 말하기임을 잘 기억하자.

Presenter - 말하는 사람은 철저히 준비해야 한다

발표에 필요한 자료를 숙지하고 파워포인트, 유인물을 비롯해 발표자의 태도와 발성을 잘 준비해야 한다. 이와 함께 여러 번 리허설을 해야 한다. 보통 3~4회 정도 리허설을 하고 만족하는 경우가 있다. 이는 지나친 자만이다. 스티브 잡스는 세계적 프레젠테이션을 위해 수십 차례 리허설을 했다. 프레젠터로 살아남으려면 최소 10번 이상 반복하고 또 반복하자.

프레젠테이션뿐만이 아니다. 면접이나 제안, 영업을 할 때도 마찬가지다. 오랜 시간 갈고 닦은 장인의 솜씨로 정성껏 준비된 요리처럼 준비한 것을 보여줘야 한다. 상대가 요리를 대하는 순간, '이 사람 나에게 특별한 애정을 갖고 있구나'라는 인상을 줘야 한다. 누구나 어린 시절에 먹었던 어머니의 정성 깃든 밥상을 기억할 것이다. 그런 밥상처럼 내놓을 때 비로소 상대의 마음이 넘어온다.

콘텐츠의 깊이가 ●
말의 깊이를 결정한다 ♥

대화의 기본은
KISS

⇉더 짧게, 더 쉽게

"모든 연설은 연설문이 있든 없든 마침표가 있어야 합니다. 오늘 밤 저는 마침표 역할을 하겠습니다. 이상!"

세상에서 가장 많은 박수를 받은 가장 짧은 연설이다. 드와이트 아이젠하워*Dwight Eisenhower* 미국 대통령이 은퇴 후 모 강연회에서 말한 것이다. 그의 앞에서 다른 연사가 너무 길게 연설해왔기에 청중은 지루해하고 있었다. 이때 그가 짧은 연설로 마침표를 찍자 청중은 우레 같은 박수로 답례를 했다.

연설은 무작정 오래한다고 해서 좋은 것이 아니다. 문제는 시간이 아닌 콘텐츠다. 좋은 내용을 전달해야 청중이 한눈팔지 않고 경청한다. 미국 독립선언서를 기초한 토머스 제퍼슨*Thomas Jefferson*은 말했다.

"3분 연설을 하려면 3주를 준비해야 한다. 10분 연설을 위해선 1주일이 필요하다. 한 시간을 연설하려면 당장 해도 된다."

이처럼 짧으면 짧을수록 더 훌륭한 연설이 된다는 것을 알 수 있다. 토크쇼의 제왕 래리 킹 또한 명연설가의 연설은 짧고 쉬웠다면서 이렇게 말했다.

"위대한 연설가들이 공통적으로 지킨 원칙을 정리한 말이 있다. 그것은 'KISS'다. 이는 'Keep It Simple, Stupid(단순하게 그리고 머리 나쁜 사람도 알아듣게 하라)'라는 말을 축약한 것이다."

'KISS' 법칙에 맞게, 세상 사람의 심금을 울린 명연설을 한 사람은 누가 있을까? 윈스턴 처칠*Winston Churchill*과 성룡을 들 수 있다. 윈스턴 처칠은 원래 말더듬이에 혀 짧은 소리를 냈었지만 꾸준한 말하기 훈련으로 콤플렉스를 극복했다. 게다가 그는 당대 최고의 명연설가 반열

콘텐츠의 깊이가
말의 깊이를 결정한다

에 올랐다. 수상 직에서 은퇴한 그가 옥스퍼드 대학 졸업식 연설을 할 때였다. 그는 강연대를 두 손으로 움켜잡고서 청중을 향해 아무 말 없이 30초간 바라보았다. 그런 후 말했다.

"결단코, 결단코, 결단코 포기해선 안 됩니다."

청중은 그에게서 나올 더 많은 연설을 기대하고 귀를 쫑긋 세웠다. 하지만 그는 또다시 외쳤다.

"결단코, 결단코, 결단코 포기하지 마십시오."

⇉ 과장 없는 진솔한 표현이 마음을 움직인다

이렇듯 쉽고 명확한 연설의 사례로 성룡도 빠질 수 없다. 그는 무술 영화배우로 성공한 후 자선사업을 많이 해왔다. 이런 그가 홍콩의 명문 대학에서 명예박사 학위를 받았다. 그는 학위 수여식에서 자신의 이야기를 조금도 과장되지 않고 진술하게 언급하면서 이렇게 말했다.

"지금 이 강당에 계신 분 가운데 저보다 학력이 낮은 분은 단 한 분도 안 계실 겁니다. 저는 초등학교를 중퇴했습니다. 너무나 가난해서요, 언젠가 내가 돈을 많이 벌어 때가 되면 원 없이 공부하겠다고 어린 시절 결심했었죠. 저는 열심히 일했고, 또 운이 따랐습니다. 그래서 공부를 하려고 했어요. 하지만 아무리 애써도 머리에 들어가지 않더군요. 공부는 다 때가 있다는 것을 깨달았어요. 여러분, 특히 학생 여러분, 지금 여러분이 학생이라는 것을 다행스럽게 생각하세요."

그는 학생들에게 지금 공부할 수 있는 것은 행복이라고 생각하고, 열심히 공부하라는 메시지를 전달하고자 했다. 꿈을 가져라, 도전하라, 사명을 가져라… 이런 식상한 말을 한 마디도 꺼내지 않았다. 학생들이 수도 없이 교사에게, 교수에게, 부모님에게, 사회 저명인사들에게 귀에 인이 박이도록 들어온 말이기 때문이다. 재치 있게도 성룡은 가장 짧고 쉬운 말로 대신했다.

일상적인 대화에서도 'KISS' 법칙이 유효하다. 가방끈이 길고 학식이 풍부하다고 해서 괜히 말을 길게 늘어놓을 필요 없다. 이건 하수다. '너넨 이런 거 모르지?' 하는 뉘앙스를 풍기면서 자기 혼자 장시간 지껄여봤자 듣는 이로부터 별 반응을 얻지 못한다. 고수는 다르다. 쉬운 말로 짧게 말한다.

"우리가 그처럼 헌신적인 노력을 기울일 때, 하느님의 가호 속에서 우리나라는 새롭게 보장된 자유를 누릴 수 있고, 우리나라는 국민의 정부이면서 국민에 의한 정부이면서 국민을 위한 정부로서 결코 지구상에서 사라지지 않을 것입니다."

콘텐츠의 깊이가
말의 깊이를 결정한다

1863년 11월 19일 펜실베이니아주 게티즈버그에서 에이브러햄 링컨이 한 연설이다. 이 연설은 2분여밖에 되지 않지만 훗날 세계적인 명연설로 인정받았다. 이렇듯 좋은 말의 필수 요건인 짧고 쉬운 표현은 곧 촌철살인이라는 표현과도 통한다. 상대를 쓰러뜨리기 위해서는 마구잡이식으로 펀치를 날리는 것보다 요령껏 턱에 한 방을 날리는 것이 더 효과적이다.

참기름 바른 듯
반짝이는 비유

〓 머릿속에 그림을 그리다

"음식으로 비유해볼까요. 제가 먹기에는 별로다. 생각보다 심심하다. 별로 특별하지 않다. 이 정도로는 경쟁력이 좀 떨어지지 않나 생각이 들었다."

TV 프로 〈K팝스타〉에서 양현석이 한 말이다. 이 프로를 본 이들은 잘 알겠지만 양현석은 특히 비유를 잘한다. 유희열과 박진영에게 비교해보면 확연히 알 수 있다. 양현석은 비유의 달인으로 정평이 나있다. 그가 했던 말을 몇 개 더 살펴보자.

콘텐츠의 깊이가 ●
말의 깊이를 결정한다 ,

"목소리에 참기름 발라놓은 느낌, 너무 예쁘다."

- 백아연의 노래 평에서

"박진영과 홍대에 있는 짬뽕집을 간 적이 있었다. 이후에 박진영이 혼자 짬뽕집에 갔다가 사람이 너무 많아서 짬뽕을 못 먹고 돌아왔다. 이하이는 생방송 오기 전에 훨씬 잘했다. 짬뽕으로 비유하자면 짜장면, 잡채밥 하지 말고 짬뽕만 하자. 이하이는 잘하는 분야가 분명히 있는데 이것도 도전하고 저것도 도전하고 있다."

- 이하이의 노래 평에서

"K팝스타는 될 만한 나무를 뽑는 오디션이고, 진유나 양은 좋은 씨앗 같다. 하지만 너무 어려서 오늘은 불합격을 주겠다."

- 진유나의 노래 평에서

"깊이가 아주 묘하다. 이게 끝이 아닐 것 같다. 앞으로가 더 궁금한 원석을 찾은 느낌이다."

- 유제이의 노래 평에서

이렇듯 비유를 능수능란하게 잘 사용하는 양현석. 비유는 과연 그의 말에 어떤 효과를 낼까? 우선 쉽고 재밌다. 유희열, 박진영의 말에는 비유가 없다. 그래서 그 둘의 말은 다소 딱딱하게 느껴지고 지루하기조차하다. 그런데 양현석의 말은 톡톡 튄다. 그 다음으로, 참신하고 생동감을 준다. 머릿속으로 선명한 그림이 그려지니까 무슨 말을 하는지 잘 이해되고도 남는다. 마지막으로, 원래의 의미를 뛰어넘어 더 깊은 뜻을 보여준다.

윈스턴 처칠은 비유를 사용해 말하는 것으로 유명하다. 대표적으로 1946년 웨스트민스트 대학에서 한 연설이 있다. 그는 이렇게 말했다.

"발틱 해의 스테틴에서 아드리아 해의 트리에스테 대륙에 걸쳐 철의 장막이 내려졌다. 우리는 장막 뒤에서 무슨 일이 벌어지고 있는지 알지 못한다."

여기에서 그 유명한 '철의 장막'이라는 비유가 탄생했다. 제2차 세계대전 이후, 평화에 대한 기대를 저버리고 공산주의권이 똘똘 뭉쳐서 서방국가와 대립하자 그는 '철의 장막'이라는 표현으로 공산주의권을 비판했다. 이 비유대로 서유럽 국가와 동유럽 국가 사이에 오랜 시간 냉전 시대가 이어졌다.

한번은 그와 동료 의원들 사이에서 영국 노동당의 창시자가 누군가 하는 문제로 토론이 벌어졌다. 이때 그가 엉뚱하게도 "콜럼버스"라고 답했다. 그러고는 의아해하는 의원들을 바라보면서 이유를 설명했다.

"콜럼버스는 출발할 때 배가 어디로 갈 건지 알지 못했어. 그리고 배가 아메리카에 도착했을 때도 그것이 어디인지 몰랐지. 더욱이 그는 출발해서 돌아올 때까지 모든 비용을 남의 돈으로 썼거든."

그의 기막힌 비유에 의원들이 탄성을 내질렀다. 노동당 창시자가 누군지는 중요하지 않았다. 다만 방향 의식이 없고, 도착한 곳이 어딘지 분별력이 떨어질 뿐만 아니라 순전히 남의 돈으로 경비를 댄다는 점에서 노동당이 콜럼버스와 다름없음을 보여주었다.

≥ 직유법과 은유법과 의인법

말을 할 때 손쉽게 활용할 수 있는 비유는 직유법, 은유법, 의인법이다. 먼저 직유법은 "~처럼", "~같이", "마치 ~듯이", "마치 ~처럼" 등의 표현을 사용하는 방법이다. 비유법에 익숙하지 않은 사람이라면 우선 직유를 시작하는 것이 좋다.

영국의 명상컨설턴트 앤디 퍼디컴*Andy Puddicombe*의 TED 강연을 예로 들어보자. 그는 어지럽고 혼란한 감정이 세탁기가 돌아가는 모습과 유사하다고 떠올렸다. 세탁기 비유를 통해 청중은 그의 말을 친근하게 들을 수 있었다.

"다들 아시잖아요. 마음속에 어지럽고 혼란한 감정들이 세탁기처럼 빙글빙글 돌아가고 우리는 그걸 어떻게 다스릴지 몰라서 쩔쩔 매게 됩니다. 슬프게도 정신이 너무나 산만해져서 우리는 지금 살고 있는 세계에 제대로 머무르지 못하게 되는 거죠."

다음은 은유법이다. 이는 직유보다는 한 단계 위다. "내 마음은 호수요 그대 노 저어 오오" "인생의 망망대해를 떠도는 돛단배" "그대와 나의 사랑은 난파선" 등이다. 이 경우 마음을 '호수'로, 인생을 '돛단배'로, 사랑을 '난파선'으로 비유했다. 은유를 쓰지 않고 설명하는 것보다 훨씬 강렬하게 의미를 전달할 수 있다.

1963년 마틴 루터 킹*Martin Luther King* 목사가 평화행진 때 한 연설을 찾아보자. 수표, 현금 등 경제적인 용어로 일관해서 비유하고 있다. 이를 통해 흑인 인권과 민주주의의 필요성을 절절하게 호소한다.

"우리는 명목뿐인 수표를 현금으로 바꾸기 위해서 수도 워싱턴에 모였습니다. 미국의 건국에 참여한 사람들이 서명한 헌법과 독립선언서의 화려한 문구들은 약속어음에 비유할 수 있습니다. 이들은 흑인과 백인을 가리지 않고 모든 사람에게 양도할 수 없는 '생명권, 자유권, 행복추구권'이 있다는 내용의 약속어음에 서명했습니다. 미국은 흑인 시

214

콘텐츠의 깊이가
말의 깊이를 결정한다 9

민에 대해서 이 약속을 제대로 이행하지 않고 있습니다. 미국은 흑인들에게 이 신성한 약속어음에 명시된 현금을 지급하지 않고 '예금 잔고 부족'이라는 표시가 찍힌 부도수표를 되돌려주고 있습니다. 하지만 정의라는 이름의 은행은 결코 파산하지 않을 것입니다. 미국이 가지고 있는 기회라는 이름의 거대한 금고 속에 충분한 잔고가 남아있을 것입니다."

마지막으로 의인법이다. 사람이 아닌 것을 사람으로 여겨 표현하는 비유법이다. "파도가 달려온다" "태양이 입 맞춘다" "희망이 땅바닥에 쓰러져 울부짖고 있다" 등이다. 파도와 태양과 희망이 마치 사람처럼 달리고, 입 맞추고, 쓰러져 울부짖는 것으로 비유했다. 어떠한가? 사람에 비유하니 더 절절하게 의미가 전달되지 않는가? 영국 마가렛 대처*Margaret Thatcher* 수상의 연설을 들어보자. 인플레이션에 대한 두려움이 생생하게 느껴진다.

"인플레이션은 실업의 부모이며, 그것은 저축을 해온 사람들의 눈에는 보이지 않는 도둑입니다."

웅변의 시대는
지나갔다

⚡ 벽을 보고 혼자 떠들고 싶은 사람은 없다

"웅변식 말하기는 한물갔습니다. 아무리 뛰어난 콘텐츠를 탑재하고 아나운서 같은 목소리로 말해도 아무도 귀 기울여주지 않아요. 이제는 듣는 사람이 자발적으로 관심을 가질 수 있도록 유도하는 말하기가 필요하죠. 이 말하기가 바로 공감 스피치입니다. 공감 스피치는 듣는 이로부터 정서적, 심리적 공감을 이끌어내는 말하기를 뜻해요. 말하기가 상대에게 먹히려면 상대와의 공감 포인트를 공략해야합니다."

콘텐츠의 깊이가
말의 깊이를 결정한다 ,

기업체 임원급을 대상으로 열린 강의에서 한 말이다. 요즘 기업 경영자들이 경영 쇄신의 측면에서 효율적인 의사소통을 위해 말하기 수업을 많이 받고 있다. 과거에는 기업의 의사소통에서 수직 하달이 당연시되다 보니 임원급이 '말하기'에 그다지 관심을 두지 않았다. 경영자는 일방적으로 지시와 명령을 하달하고, 부하 직원은 그것을 빠짐없이 받아들여 실행하는 것이 상식이었다. 그러나 요즘은 달라지고 있는 모습이 피부로 느껴진다.

한 중소기업 이사가 이런 고충을 털어놓았다.

"저희 회사는 지방에 있다 보니 젊은이들이 오길 꺼려해요. 우리 회사는 연구 개발에 막대한 투자를 하고 있어서 젊은 연구자의 충원이 절실합니다. 그런데 막상 채용하고 나면 몇 개월 견디지 못하고 대부분 이직하고 말더라고요. 처음엔 젊은이 탓만 했는데 시간이 지나면서 내게도 문제가 있다고 생각했지요. 무엇보다 위계질서를 고집하고 명령만 하달하는 내 '말'이 문제라고 봅니다. 요즘은 군대 문화도 젊은이들의 성향에 맞게 바뀐다고 하잖아요. 그래서 젊은 층과 함께 호흡하는 말하기를 배우려고 합니다."

말하기를 배우는 사람치고 어느 누구도 벌판에서 혼자 떠들어대길 원하지 않는다. 가능하면 많은 사람이 내 말에 관심을 갖고 들어주길 바란다. 내 말에 따라 많은 이의 마음이 변화되길 바란다. 이렇게 되기 위해서는 내 말을 듣는 상대와 공감대를 잘 형성해야 한다.

특히 세일즈를 위한 말에서는 더더욱 공감대가 중요하다. 세일즈로 억만장자가 된 세계적인 강연자 캐빈 호건*Kevin Hogan*은 세일즈의 첫 관문이 공감대라고 한다. 그는 《구매의 심리학*Selling Yourself to Others*》에서 이렇게 말했다.

"공감대 형성은 세일즈 과정에서 세일즈맨의 영향력을 극대화해주는 가장 강력한 테크닉 중 하나다. 공감대가 형성되면 미묘한 친화력이 생겨나 고객이 거의 믿을 수 없을 정도까지 그들의 마음을 당신에게 활짝 열어보이도록 해준다. 일단 고객과 공감대가 형성되면 고객은 당신이 자신과 닮았다고 생각하고 당신에게 호감을 느끼게 된다. 일반적으로 사람들은 자신과 비슷한 점이 있는 사람들에게 호감을 느끼기 때문이다."

〈미생〉처럼 말하고 〈응팔〉처럼 이야기하자

공감대를 공략하는 것은 드라마도 예외가 아니다. 드라마의 내용과 시청자 사이의 공감 포인트가 절묘하게 맞아떨어질수록 시청률이

콘텐츠의 깊이가
말의 깊이를 결정한다

높아지기 때문이다. 많은 시청자의 시선을 잡아끄는 드라마에는 시청자와의 접점이 많다.

〈미생〉은 직장인의 애환을 그린 드라마다. 신입 사원, 중간 관리자, 임원 등 여러 직위의 등장인물이 실제 현실 속 직장인과 빼닮았다. 그래서 드라마가 마치 시청자 자신의 이야기를 들려주는 듯하다. 그래서일까? 많은 시청자가 〈미생〉에서 공감을 느낀다.

취업 포털 사람인에서 직장인 762명을 대상으로 조사했다. 본인과 비슷하다고 느끼는 〈미생〉의 등장인물이 누구냐는 것과 가장 공감하는 〈미생〉의 에피소드가 무엇이냐는 것이다.

본인과 비슷한 등장인물

- 내세울 것 없는 스펙의 신입 사원 장그래
  - 44퍼센트
- 뚝심 있게 일을 처리하는 김동식 대리
  - 17.4퍼센트
- 승진이 늦은 워커홀릭 오상식 과장
  - 12.5퍼센트

가장 공감하는 에피소드

- 열심히 일하는 것보다 사내 정치로 줄을 잘 서야 승진하는 것

  - 39.6퍼센트

- 충혈된 눈이 풀릴 새 없이 일이 몰려오는 것

  - 37.8퍼센트

- 조직 문화가 남성들의 가부장적 사고로 만연한 것

  - 35.8퍼센트

- 상사의 질책이 두려워 진실을 숨기는 것

  - 29.7퍼센트

- 동기, 동료보다 스펙, 성과가 많이 떨어져 박탈감을 느끼는 것

  - 26.8퍼센트

이처럼 드라마 〈미생〉에는 시청자가 절실하게 공감할 포인트가 많다. 그래서 이 작품이 대박날 수밖에 없었던 것 아닐까?

〈응답하라 1988〉도 마찬가지다. 1980년대를 배경으로 했지만 시대를 뛰어넘어 많은 시청자에게 사랑받는 이유가 공감에 있다. 여기에는 시대를 초월하는 보편적인 키워드 세 가지가 있다. 가족, 우정, 사랑이다. 만약 이러한 공감 포인트로 시청자의 가슴을 울리지 못했더라면 지금의 〈응답하라 1988〉은 없었을지 모른다.

콘텐츠의 깊이가
말의 깊이를 결정한다

연애 경험이 없는 남성은 여성과의 공감대 형성을 어려워한다. 여성은 남성과 다르다는 것을 인지하고 그에 맞게 공감대를 찾아야 함에도 불구하고 자기 위주로 말하는 경우가 많다. 남성은 논리적 사고를 하고, 여성은 감성적인 사고를 한다. 따라서 남성은 여성의 감성 코드에 맞추어 공감 포인트를 만들어 말해야 연애에 성공할 수 있다.

선거철마다 국회의원 후보자들이 외치는 단골 멘트도 그렇다. "저는 가난한 집안에서 태어나 자수성가한 사람으로서…" 이렇게 말해야 흙수저 출신인 대다수 유권자의 표를 잡을 수 있다. 유권자는 자신과 비슷하다고 공감을 가질 때 기꺼이 그에게 표를 던진다. 공감 포인트를 많이 공략하면 할수록 내 말이 상대에게 영향력을 가진다는 점, 반드시 기억하자.

펄떡이는 열정을
보여주어라

🡒 스펙보다 열정이 낫다

"말 잘하는 사람들은 열정적이며, 일에 대한 열의와 관심이 말할 때 드러납니다."

토크쇼의 제왕 래리 킹의 말이다. 그는 다른 사람보다 말 잘하는 능력을 타고 났다고 한다. 하지만 그가 처음부터 화려하게 방송 일을 시작한 것은 아니다. 아무리 언변이 뛰어나도 방송 경력이 전무한 신출내기에게 라디오 DJ를 시킬 리 만무했다. 그는 무일푼 실업자 신세로 지내야 했다.

콘텐츠의 깊이가 ●
말의 깊이를 결정한다 ❜

그런 그는 포기하지 않고 방송 관계자에게 자신을 어필했다.

"저는 누구보다 라디오를 사랑합니다. 어릴 때부터 오로지 라디오 DJ만을 꿈꿔왔어요. 그래서 꾸준히 말하기 훈련을 해왔고요. 어떤 자리라도 좋으니 꼭 한 번 저에게 기회를 주세요. 능력을 최대한 발휘해 후회스러운 선택이 아님을 입증해드릴게요."

일에 대한 그의 열정을 느낀 방송 관계자가 말했다.

"참, 자네 대단해. 다른 친구들은 집에서 구인 광고가 나오는 걸 기다리고만 있는데 자네는 매번 나를 찾아오다니 말일세. 그만큼 방송 일을 사랑해서 꼭 하고 싶다는 거겠지. 자네에게는 뜨거운 열정이 느껴져. 그래, 좋아. 지금은 자리가 없지만 빈자리가 생기면 자네에게 연락해주겠네."

이렇게 해서 고졸 출신에 여러 직장을 전전하던 래리 킹에게 기회의 문이 열렸다. 그는 우연히 비게 된 라디오 DJ 자리를 낚아채 유명세를 떨쳤으며 마침내 CNN의 〈래리 킹 라이브〉로 세계적인 토크 진행자가 되었다.

스티브 잡스의 프레젠테이션 또한 열정으로 가득하다. IT 신제품 발표회는 누가 봐도 딱딱하고 무료하기 마련이다. 스티브 잡스는 이런 편견을 뒤집어엎었다. 그는 제품에 대한 열정을 온몸으로 보여주었다. 그 자신은 록 가수가 되었고, 프레젠테이션을 공연으로 승화시켰다. 그가 이런 말을 내뱉을 때마다 청중은 환호했고 심장이 방망이질했다.

extraordinary(대단한) / amazing(놀라운) / awesome(엄청난) / cool(끝
내주는) / incredible(믿기 힘든) / unbelievable(믿기지 않는) / wow(와!)

데일 카네기는 강연자가 최고의 실력을 발휘하려면 컨디션을 조절
해야 한다고 말한다. 결코 자신의 기분을 다운시키지 말라고 조언하
면서 이렇게 말했다.

"생기와 활력, 열정은 내가 스피치를 지도하는 강사를 구할 때 으
뜸으로 치는 자질이다. 가을의 밀밭에 날아든 야생 기러기처럼 정력
적인 연사, 열기를 발산하는 인간 발전기 같은 연사의 주위에 사람들
이 모이는 것이다."

"모 은행 신입사원 공채 면접에서 흥미로운 일이 있었어요. 한 지
원자가 3분 뮤직비디오를 제출했습니다. 그 뮤직비디오에는 지원자
가 출연했는데, 회사 로고를 쓴 전단을 들고 전국 각지를 찾아가 사람
들과 춤추고 노래하는 영상이 담겨있었지요. 그 영상을 본 면접관은
지원자의 뜨거운 열정에 감화되었고, 지원자는 합격했습니다."

면접을 준비하는 대학생을 위한 특강에서 자주 들려주는 일화다.

콘텐츠의 깊이가
말의 깊이를 결정한다

이화여대를 비롯해, 백석대, 국민대 등 여러 대학에서 면접 기술을 강의할 때 특히 강조하는 항목이 '열정'이다. 아무리 스펙이 좋아도 열정이 전해지지 않으면 면접에서 좋은 결과를 기대하기 힘들다. 열정은 청춘에게 빼놓을 수 없는 덕목이다.

이를 잘 반영하듯 최근 삼성의 신입 사원 채용 키워드에 열정이 들어갔다. 삼성은 출신 대학 등 직무와 상관없는 스펙보다 열정, 창의혁신, 도덕성을 더 중요하게 보고 있다. 특히 미래와 일에 대한 열정을 더 우선시하고 있음을 알 수 있다. 잭 웰치$^{John\ Frances\ Welch\ Jr}$ 또한 미래의 경영자는 '4E+V'를 갖춰야 한다고 주장했다. 이는 열정^{Energy}, 동기부여^{Energize}, 결단성^{Edge}, 실천^{Execution}, 그리고 비전^{Vision}을 말한다. 여기에서도 열정이 맨 앞에 있음을 확인할 수 있다.

⇉ 어떤 위대한 일도 열정 없이는 이뤄지지 않는다

세계적인 리더십 전문가 존 맥스웰$^{John\ C.\ Maxwell}$은 《존 맥스웰의 큐티리더십$^{Leadership\ Promises\ for\ Your\ Week}$》에서 리더에게 필요한 자질을 21가지로보았다. 그는 이 가운데서 운명을 결정하는 열쇠는 '열정'이라고 하며열정의 4가지 특징을 설명하고 있다.

성공으로 가는 첫 번째 단계다

열정이 있는 사람에게는 위대한 일을 이루겠다는 꿈이 있다. 반대로 열정이 없는 사람은 위대한 일에 아무런 관심이 없다. 무언가를 하고자 하는 마음이 운명을 결정한다. 열정이 강하면 강할수록 욕구도 커지고 가능성도 커진다. 랄프 에머슨은 말했다.

"어떤 위대한 일도 열정 없이는 절대로 이루어지지 않는다."

의지력을 키워준다

스포츠 선수들을 보면 포기할만한 상황에서도 버티어내는 일이 비일비재하다. 복서가 링에서 여러 차례 다운을 뺏기고, 마라토너가 다리를 절룩거리고, 양궁 선수가 번번이 화살을 과녁 밖으로 날리면서도 끝끝내 경기를 포기하지 않는 이유가 열정 때문이다. 열정은 강한 의지력을 지지해준다. 열정을 대신할 것은 아무것도 없다. 그것은 의지의 원천이다. 무엇이든 간절하게 원한다면 그것을 얻고자 하는 의지가 생길 수 있다.

사람을 바꿔놓는다

내세울 만한 스펙이 없고 돈도 없고 인맥도 없는 사람이 훗날 성공한 기업인이 되었다고 하자. 그 성공의 원동력이 무엇일까? 열정이다.

콘텐츠의 깊이가
말의 깊이를 결정한다

열정이 더 헌신적이고 더 생산적인 사람으로 바꿔놓는다. 열정은 사람에게 성격보다 더 큰 영향력을 끼친다.

불가능을 가능하게 만든다

우공이산이라는 말을 아는가? 한 노인이 길을 넓히기 위해 두 개의 큰 산을 옮기기로 했다. 머지않아 죽음을 맞을 노인이었지만 매일같이 산을 파서 흙을 바다에 버렸다. 노인은 자신이 죽으면 자손들이 대를 이어 산을 팔 것이라고 말했다. 노인의 열정에 깜짝 놀란 산신은 이러다가 살 곳을 잃어버리겠다고 생각했다. 산신이 서둘러 하늘에 있는 상제에게 호소하자 상제가 두 산을 멀리 옮겨주었다. 사람의 가슴에 열정의 불이 붙으면 불가능이 수증기처럼 사라지고 만다.

위대한 일을 하고자 하는가? 그러면 자신의 말에 펄떡이는 열정을 담아보자. 그 뜨거운 열정이 주위로 전해져 당신이 위대한 걸음을 내딛도록 응원해준다. 목소리, 발음, 제스처, 콘텐츠…. 말하기에서 어느 것 하나 중요하지 않은 것이 없다. 그러나 당신이 꿈꾸는 미래를 이뤄줄 최고의 마법은 열정이다.

좋은 목소리는
타고 나는 것이
아니다

Chapter 05

울림 있는 목소리가 콘텐츠를 받쳐준다

공명 목소리가
사람을 끌어당긴다

⇒ 그 유명한 '공기 반 소리 반'

30대 초반의 여성 로펌 변호사가 찾아왔다. 그녀와 차를 마시면서 몇 마디 나누자마자 그녀에게 어떤 고민이 있는지 단박에 알 수 있었다. 그녀의 목소리가 문제였다. 목소리가 가늘고 힘이 없어서 말을 질 질 끄는 버릇을 갖고 있었다.

"저는요⋯ 변호사를 하고 있는데요. 다른 건 못하는 게 없고⋯ 열 심히 한 만큼 대가가 돌아오는데요. 딱 하나가 고민이에요. 그게 뭐냐 하면요⋯ 말을 잘 못하는 거예요. 학생 신분으로 공부만 할 때는 그게

큰 문제가 될 줄 몰랐는데요… 막상 변호사가 되어 사회 활동을 하다
보니까… 말을 잘 못하는 게 콤플렉스가 되고 말았어요.”

한 여성의 목소리로서는 나무랄 데가 없었다. 남성의 보호 본능을
일으키기 때문이다. 그런데 비즈니스를 하는 데는 적잖은 핸디캡이
될 수 있었다. 법정의 판사 앞에서, 또한 의뢰인 앞에서 신뢰감 있게
말해야 하기 때문이다.

그녀에게 조언을 해주었다.

“비즈니스 활동에서는 호감을 주는 말투와 목소리가 매우 중요해
요. 이런 목소리를 타고나는 분도 있죠. 그렇지 않은 분이라고 해도 꾸
준히 훈련하면 그런 음성을 가질 수 있어요. 변호사님은 음절을 끊어
서 말하는 연습을 해보길 추천해요. 예를 들어 도, 레, 미, 파, 솔, 라,
시, 도처럼 음을 연결하지 말고 짧게 끊어서 스타카토처럼 소리 내보
세요. 그러면 목소리가 달라지는 걸 느낄 수 있을 거예요.”

이처럼 말을 잘하기 위해서는 목소리가 중요하다. 상당수 여성은
남성의 말을 들을 때, 비언어적 요소 중 몸짓보다 목소리를 더 중요
하게 받아들인다. 외모가 평범해도 근사한 목소리를 갖고 있는 남자
라면 신뢰감이 든다. 세계적인 연설가이자 동기부여가 지그 지글러^{Zig}
^{Ziglar}는 세일즈맨의 목소리에 백만 달러의 가치가 있다고 주장하면서
이렇게 말했다.

좋은 목소리는
타고 나는 것이 아니다

"판매에 있어서 가장 중요한 도구는 두말할 것 없이 세일즈맨의 목소리다. 언어치료사들의 의견에 따르면, 우리 사회 구성원 중 듣기 좋은 목소리를 타고난 사람은 5퍼센트에 지나지 않는다고 한다. 그렇지만 나머지 사람들은 훈련을 통해 좋은 목소리로 바뀔 수 있다."

그렇다면 누구나 공감하는 매력적인 목소리는 어떤 것일까? 울림이 많고 맑은 목소리다. 울림 있는 목소리를 가지려면 기본적으로 공기를 입에 많이 품어야 한다. 박진영이 〈K팝스타〉에서 자주 이야기하는 '공기 반 소리 반'과 같다. 한 통계에 따르면, 매력적인 목소리를 가진 남자 연예인으로 이선균, 이병헌, 성시경, 하정우가 꼽혔다. 이 가운데 1위는 44.6퍼센트의 지지를 받은 이선균, 2위는 25.3퍼센트의 지지를 받은 이병헌이었다. 이 둘은 공통적으로 울림이 많은 목소리의 소유자다.

이선균의 목소리는 비강의 큰 울림으로 인해 감미롭게 들린다. 마이크가 필요 없을 정도로 울리는 소리다. 나는 이 목소리를 SCC$^{sky\ cotton\ candy}$, 곧 '하늘의 솜사탕 같은 목소리'라고 칭한다. 이러한 비강의 목소리를 잘 내려면, '음'과 '흥' 소리를 자주 내는 연습을 해야 한다. 이병헌의 목소리는 울림의 결정판을 보여주는 낮은 저음이다. 그의 목소리는 여느 배우의 목소리와는 차별되는 고급스러운 발성을 보여준다. 어느 컴필레이션 앨범에서 선보인 시 낭독이 이를 대표적으로 드러낸다.

사랑하는 사람이 생겼습니다.

아침에 이를 닦고 세수를 하고 머리를 감으며

내게 사랑하는 사람이 생겼다는 걸 알았습니다.

⇒ 목소리를 쉽게 가꾸는 세 가지 방법

내 목소리가 좋다는 사실을 새삼스레 알게 된 것은 고등학교 때다. 목소리를 가지고 선생님께 칭찬을 듣는 순간 새로운 나를 발견할 수 있었다. 이를 계기로 나는 목소리에 관심을 갖고, 더 좋은 소리를 낼 수 있도록 노력했다. 수십 번 수백 번 녹음기로 목소리를 녹음하고 들으며 다듬어나갔다. 유명한 아나운서와 성우의 목소리를 흉내 내기도 했다. 매력적인 목소리를 내기 위해 많은 공을 들였다. 친구들이 영어나 일본어를 공부하는 데 바친 시간 이상으로 많은 시간을 썼다. 기어이 고등학생 신분으로 방송사 리포터에 선발되는 행운을 얻었다. 이후 나는 다양한 목소리의 스펙트럼을 갖춘 보이스테이너로 방송과 강연을 하고 있다.

구슬이 서 말이라도 꿰어야 보배라는 속담이 있다. 좋은 콘텐츠를 말한다고 해도 울림 있는 목소리가 받쳐주어야 빛을 발한다. 매력적

좋은 목소리는 ●
타고 나는 것이 아니다 ,

인 목소리로 말해야 콘텐츠가 춤을 춘다. 그동안의 경험을 토대로 누구나 쉽게 따라할 수 있는 목소리 비결 세 가지를 소개한다. 방청객 발성법, 조음 기관 국민체조, 최불암 호흡법이다. 이를 꾸준히 연습하면 아무리 좋지 않은 목소리라도 언젠가 반드시 매력적인 목소리로 바뀌게 되리라 확신한다.

방청객발성법

방송국의 방청객들이 흔하게 내는 소리가 있다. '음, 아, 오' 하는 리액션 소리다. 이는 누구든지 어디에서나 쉽게 따라할 수 있다는 장점이 있다. '음~'이라고 하면 코에서 머리 언저리와 얼굴 전체에 파동이 전달되어 소리가 깊어지게 된다. '아~'라고 하면 입 안에 공간이 많이 확보되어 역시 깊은 소리와 울림 있는 음성을 낼 수 있다. '오~'라고 하면 턱의 움직임을 도와주게 되어 발음을 유연하게 만들어준다.

얼핏 간단해보이지만 효과가 대단하다. 심지어 한 대학교 연극영화과 교수가 학생들의 발성을 위해 내게 '음, 아, 오' 방청객 발성법 강의를 부탁해오기도 했다. '음, 아, 오' 발성법으로 목소리를 풍성하고 고급스럽게 변화시켜보자.

조음 기관 국민체조

이는 발음을 정확하게 하는 방법이다. 많은 사람이 잘못된 습관으로 인해 부정확한 발음으로 말하고 있는데, 이를 고치려면 발음 기관을 바르게 움직이는 훈련을 해야 한다. 입술, 턱, 혀를 활성화시키는 소리는 다음과 같다. 자주 소리 내면서 조음 기관을 풀어주자.

입술: 마바타

턱: 타나다

혀: 라리루

코: 홍콩송

최불암 호흡법

최불암은 웃으면서 '파~' 하고 소리를 낸다. 이는 호흡법의 측면에서 매우 좋은 본보기다. 울림 많은 목소리를 내려면 깊은 호흡이 필요하다. 이 때문에 스피치 학원에서는 복식 호흡을 권장하지만, 굳이 복식 호흡법을 따로 배울 필요가 없다. 그냥 최불암처럼 소리를 내기만 하면 저절로 복식 호흡이 되기 때문이다. 한번 '파~' 하고 소리 내보라. 그러면 횡경막이 모두 열리고 숨이 깊어지는 것을 체험할 수 있다.

좋은 목소리는 ●
타고 나는 것이 아니다 〞

귀를 사로잡는 존재감
— 이병헌 · 이서진

≫마음을 설레게 하는 중저음

당신도 몰랐던 당신의 모습을

몹시도 두근거렸고

아팠지만 아름다웠던 사랑을

나는 당신과 함께 했습니다.

나는 당신의 자동차입니다.

당신의 빛나는 인생입니다.

Live brilliant.

몇 해 전 현대자동차 광고에 나온 이병헌의 내레이션이다. 위의 문구에서 자동차라는 단어만 빼면 마치 한 편의 시처럼 감성적으로 다가온다. 이병헌은 특유의 중저음으로 주 고객층인 30~50대 소비자에게 브랜드에 대한 신뢰감을 심어주고 있다. 그런데 할리우드까지 진출한 세계적 배우 이병헌의 모습은 영상에 한 순간도 비춰지지 않는다.

왜일까? 그의 출연료가 너무 높아서일까? 그의 이미지가 현대자동차와 맞지 않아서일까? 아니다. 이병헌은 목소리만으로 존재감을 아낌없이 보여주기 때문이다. 감성적이면서 믿음직한 그의 이미지는 음성만으로도 충분하다. 감성적인 영상과 피아노 선율을 배경으로 흘러나오는 그의 목소리는 그 자체로 아무 모자람이 없었다.

이서진 또한 이병헌처럼 중저음의 소리를 낸다. 화제의 사극 〈다모〉에서 "나도 아프다. 너는 내 수하이기 이전에 누이나 다름없다. 나를 아프게 하지 마라"고 말하던 그의 목소리는 많은 여성 시청자의 가슴을 울렸다. 외국의 경우 오프라 윈프리, 버락 오바마, 힐러리 클린턴이 중저음이다. 일반적으로 고음은 쾌활하고, 중음은 부드럽고, 저음은 무게감이 있다. 그래서 이병헌과 이서진의 목소리는 부드럽고 무게감 있다. 또한 중저음은 90~100헤르츠의 주파수를 갖고 있어서 안정감이 느껴지고 지적이며 신뢰감이 든다.

대표적으로 오바마를 보자. 2012년 민주당 대선 후보 수락 연설에서 그는 성악가 못지않게 풍부한 울림을 주는 중저음으로 대중을 감동의 도가니에 몰았다. 미국 국민은 기존 정치인의 고루한 연설을 듣는 대신 마치 성악가의 공연을 보는 착각에 빠져들었다.

"미국이여, 우리는 후퇴할 수 없습니다. 할 일이 너무 많은데 후퇴할 수 없습니다. 가르쳐야 할 많은 아이들, 그리고 보살펴야 할 많은 퇴역 군인들이 있는데 후퇴할 수 없습니다. 바로잡아야 할 경제, 재건해야 할 도시, 그리고 보호해야 할 농장이 있는데 그럴 수 없습니다. 지켜야 할 많은 가정, 치유해야 할 많은 삶 때문에 후퇴할 수 없습니다. 미국이여, 우리는 후퇴할 수 없습니다. 우리는 홀로 나아갈 수 없습니다. 지금 이 순간, 이 선거에서, 우리는 미래로 나아가기 위해 다시 한 번 맹세해야 합니다. 우리가 고백하는 소망을 굳게, 그리고 예외 없이 보호해주는 그 약속, 미국의 약속과 성경의 말씀들을 지키도록 합시다. 감사합니다. 하느님, 저희를 축복해 주십시오. 미합중국을 축복해 주십시오."

기업체 임원이나 의사, 변호사, 공인회계사, 전문 컨설턴트들이 하나같이 내게 묻는 말이 있다. 어떻게 하면 좋은 목소리를 낼 수 있느냐는 질문이다. 이들은 직업 특성상 목소리에서 신뢰감이 느껴지게 하는 것이 중요하다. 부하 직원에게 연설이나 훈시를 하고, 환자와 상담하고, 법률이나 회계 문제로 찾아온 고객과 협상을 할 때 필요한 목소리가 중저음의 목소리다.

만약 회사 CEO가 쉰 목소리나 카랑카랑한 목소리로 훈시한다면 부하 직원들에게 진심을 잘 전달할 수 있을까? 분명 그 CEO의 호소력과 전달력이 떨어질 게 분명하다. 최악의 경우, 그의 리더십조차 흔들릴 여지가 있다. 기업의 최고 수장이라면 안 좋은 목소리를 개성이라고 치부해서는 안 된다.

의사의 경우는 어떨까? 의사는 신뢰를 먹고 사는 직업이라고 해도 과언이 아니다. 의사를 믿지 못하면 어떻게 그에게 내 몸을 맡길 수 있겠는가? 따라서 의사는 중저음 목소리로 믿음을 보여줄 필요가 있다. 의사의 이미지와 달리 가늘고 힘없는 목소리를 내거나 경박하고 빠르게 말을 내뱉으면 고객의 마음이 멀어질 수 있다.

연습으로 중저음을 만들 수 있다

다른 직업도 마찬가지다. 이들은 자신의 경쟁력을 높이는 일환으로 반드시 보이스 트레이닝을 받을 필요가 있다. 나는 이들에게 자신감을 북돋워주며 이렇게 말한다.

"중저음 목소리를 타고나지 않았다고 해서 실망할 필요 없어요. 후천적으로 노력하면 얼마든지 아름다운 중저음을 낼 수 있습니다. 아나운서들은 하나같이 목소리가 좋잖아요. 그 가운데 적지 않은 수가 보이스 트레이닝을 통해 좋은 목소리를 가지게 되었지요. 그러니까 여러분도 관심을 갖고 몇 개월간 꾸준히 트레이닝을 받아보세요. 틀림없이 중저음의 목소리를 가질 수 있을 거예요."

아주 예외적인 경우가 없지 않다. 성대에 이상이 있는 경우나 쉰 목소리, 떨리는 목소리, 가늘고 높은 음성 등은 노력을 해도 크게 개선되지 않는다. 하지만 일반적으로는 발성 교정을 받으면 차분한 소리를 낼 수 있다. 내가 중저음 발성 트레이닝을 할 때 집중하는 것은 네 가지다.

광대뼈 라인의 진동을 잘 활용하라

광대뼈가 넓은 가수치고 깊은 소리를 내지 않는 경우가 없다는 말이 있다. 광대뼈가 넓을수록 소리가 콘트라베이스처럼 잘 울리기 때문이다. 절대 입과 목으로만 소리를 내서는 안 된다. 광대뼈 라인의 진동을 위해서는 '음, 아, 오' 방청객 발성법을 훈련하는 것이 좋다. 특히 '음' 소리는 광대뼈를 많이 진동시키고, '아' 소리는 공간을 확보해주며, '오' 소리는 입술을 세게 움직여준다.

횡경막을 열어라

이를 위해서는 앞서 소개한 최불암 호흡법이 좋다. '파' 소리를 내면 소리가 깊어지는 것을 느낄 수 있다. 이와 함께 호랑이처럼 포효하거나, 깊이 하품을 해보면 공간이 넓어져 소리의 울림이 많아지는 것을 느낄 수 있다.

입안에 공기를 많이 품어라

박진영의 '공기 반 소리 반'에 해당하는 말이다. 어깨를 잔뜩 긴장한 채 목에 힘을 줘서는 안 된다. 또한 콧소리를 내지 말아야 한다.

말을 빠르게 하지 말라

중저음의 목소리는 따발총처럼 빠른 말과는 어울리지 않는다. 최적의 중저음이 나오려면 말의 완급을 잘 조절해야 한다. 평소 심리적인 면과 함께 호흡 조절에 신경을 써야 한다.

좋은 목소리는 ●
타고 나는 것이 아니다 ,

청춘이라면 투명한 바다처럼
-송중기 · 김수현

👉 에메랄드빛 바다 같은 목소리

"안정된 목소리가 너무 듣기 좋았어요."

"그의 목소리를 들으면서 방송을 보니 집중이 잘 됐어요."

"깊이 빠져들게 하는 목소리에요."

2011년 MBC 〈남극의 눈물〉에서 내레이션을 맡았던 송중기의 목소리에 대한 시청자들의 호평이다. 당시 송중기는 맑은 중저음으로 시청자의 마음을 사로잡았다. 그의 목소리는 그의 천진난만한 얼굴처럼 호기심을 가득 품은 듯했고, 정확한 발음과 차분한 호흡은 시청자들을 TV 앞으로 끌어당기기에 충분했다.

그의 청아한 중저음은 20대 초·중반의 건강함과 신선함을 잘 대변한다. 그의 목소리는 이병헌이나 이서진의 명품 보이스와 다르다. 그들의 명품 보이스가 끝 모를 깊이의 검푸른 바다라면, 송중기의 목소리는 깊지만 에메랄드빛을 뽐내는 바다다. 에메랄드빛 바다와 같은 목소리라는 표현이 가슴에 와 닿지 않는가? 그렇다면 〈태양의 후예〉를 보라.

송중기가 연기하는 유시진 대위는 상황에 따라 중저음 목소리를 바탕으로 달콤한 로맨스와 우직한 군인 정신, 위트를 잘 드러내고 있다. 순서대로 명대사를 엿보자.

"사과할까요? 고백할까요?"

"자기 마음 들켰다고 졌다고 생각하지 맙시다. 어차피 그래 봤자 내가 더 좋아하니까."

"이 시간 이후로 내 걱정만 합니다."

"난 내 조국을 지키겠습니다."

"군인인 나한테 국민의 생명보다 우선하라고 국가가 준 임무는 없다."

"나 아저씨 아닌데."

"나는 내 동료들을 믿거든? 그러니까 너도 내 동료들을 믿어봐."

"마음 편하게 먹어요. 내 섹시한 뒤태 감상하면서."

처음 세 대사를 보자. 맨 앞의 담백한 대사는 여성 시청자를 한없이 설레게 한다. 그의 목소리가 로맨스에 최적화되었다는 말이다. 다음 순서로 나온 두 대사에서는 군인의 신뢰감이 묻어난다. 중저음 특유의 깊은 울림이 군인 캐릭터를 잘 보여주고 있다. 마지막 순서의 세 대사에는 젊음에서 오는 유머, 짓궂은 장난기가 엿보인다. 특히 맨 아래 농담에는 외설과 다른 건강미가 솔솔 배어있다.

이처럼 그가 로맨스, 신뢰감, 위트라는 다양한 장면을 연출할 수 있는 것은 그의 목소리가 에메랄드색을 가지고 있기 때문이다. 에메랄드에 빛을 비추면 각도에 따라 선명하고도 신비로운 녹색이 제각각 드러나듯이, 그의 목소리 또한 여러 가지 캐릭터를 잘 표현해낸다.

특히 보이스의 관점에서 볼 때 송중기와 상대역인 송혜교의 목소리는 찰떡궁합이다. 두 눈을 감고 라디오를 듣듯이 목소리만 들어도, 그 둘은 완벽한 조화를 보여준다. 송혜교는 자신의 이미지처럼 산뜻하고 맑으며 청순한 목소리를 가지고 있는데, 여성의 목소리 중 에메랄드빛 바다의 소리를 찾는다면 바로 그녀를 고를 수 있겠다.

➔ 자신의 음역대를 찾아 트레이닝하라

〈별에서 온 그대〉의 김수현 또한 건강하고 매혹적인 중저음을 자랑한다. 그는 이 드라마에서 자신의 중저음을 마음껏 뽐냈다. 그는 성우라고 해도 손색없을 정도의 편안한 호흡으로, 정확하게 한 음 한 음을 잘 찍는 발성을 보여주었다. 또한 입 안에 공기를 많이 품어서 울림이 큰 목소리를 들려주었다. 그의 대사를 듣고 있노라면 드라마에 흠뻑 빠지고 만다.

"사람들이 왜 죽음을 두려워하는지 아십니까? 잊히기 때문입니다. 내가 존재했던 세상에서 내가 사라져도 세상은 그대로고 나만 잊히기 때문입니다. 난 두렵지 않았습니다. 내가 살던 이 세상을 떠나 다른 세상으로 간다고 해도. 그래서 아무도 날 기억하지 못한다고 해도 상관없었으니까요. 그런데 지금, 나는 조금 두려운 것 같습니다. 잊히고 싶지 않은 한 사람이 생겨버렸습니다."

이러한 그의 목소리는 레모나 광고에서 절정에 도달했다. 그가 마치 여자 친구에게 말하듯 "내가 다 가져갈게. 넌 예뻐야 하니까"라고 건네는 중저음의 목소리는 섹시함 그 자체였다. 이를 본 수많은 여성들은 그의 음성에 빠져들고 말았다.

김수현은 사춘기 때부터 특별히 발성 훈련을 받았다. 그의 어머니는 숫기 없는 그의 대인 관계를 위해 그를 웅변학원이나 연기학원에 보내고자 했다. 그는 연기학원을 택했는데, 그가 고1 때의 일이었다고 한다. 이때부터 연기학원과 극단에서 활동하며 중저음의 목소리가 자리를 잡았다. 동시에 그의 내향적인 성격이 점차 외향적으로 바뀌었다. 중저음의 소리를 내려면 횡경막을 열어서 배에 공기를 많이 들이마셔야 하는데, 이렇게 하면 저절로 뱃심이 두둑해지기 마련이다.

한번은 호남형의 잘생긴 보험 세일즈맨이 내게 찾아왔다. 그는 한 외국계 보험사에서 일하고 있는 새내기였다. 그는 특유의 '솔' 톤으로 자기를 소개했다. 그는 자신의 높은 목소리를 개선해서 기업체 강사로 전직하고 싶다는 말을 했다. 높은 음성 때문에 목이 자주 쉬고 컨디션이 좋지 않다면서 송중기 같은 중저음의 목소리를 내고 싶다고 했다. 우선 그에게 자기 목소리 분석을 해주었다.

"명치를 두 엄지로 누른 상태에서 '아' 소리를 내보세요. 이때 가장 편한 '아' 소리가 나의 목소리입니다."

분석 결과 그의 음역대는 상당히 낮게 나왔다. 본래 그는 낮은 음성의 소유자였는데 직업 특성상 강제로 높은 소리를 냈던 것이었다. 그래서 늘 목이 쉴 수밖에 없었다. 하지만 높은 소리를 낼 필요가 없는 직업으로 옮기게 되니 다행이었다. 원래 자신의 낮은 목소리를 잘 트레이닝하면 그도 송중기와 같은 중저음을 충분히 낼 수 있을 것이다.

송중기나 김수현은 20대 청춘이 롤모델로 삼을 만한 중저음의 음성이다. 이 목소리는 면접 시 면접관으로부터 호감을 얻을 수 있고, 훈련하는 과정에서 뱃심이 두둑해지기 때문에 자신감도 생겨난다. 재난 현장에서 위기를 극복하는 유시진 대위처럼, 청춘이여 건강한 중저음으로 지금의 위기를 이겨내자.

끼 넘치는 아나테이너 보이스
– 김성주 · 전현무

⇶차분한 말 실력에 끼를 더하라

"60초 후에 공개됩니다."

이 말로 유명해진 '60초의 사나이'는 김성주다. 그는 〈슈퍼스타K〉를 진행하면서 아나운서의 차분함에 감각적인 진행을 더해 많은 즐거움을 선사했다. 그는 결정적인 순간, 높은 콧소리로 위의 멘트를 날려 시청자의 가슴을 두근거리게 했다. 그는 아나운서의 장점에 예능인의 감각을 골고루 갖춘 누구보다 뛰어난 아나테이너다.

그의 진가는 비슷한 방송 프로인 〈위대한 탄생〉을 보면 알 수 있다.

역시 오디션을 주제로 한 이 프로그램의 MC는 어느 여성 아나운서였다. 뉴스데스크 앵커 출신인 그녀는 예능 프로에 맞게 짧은 커트 머리를 하고 시원한 민소매 원피스를 착용해 시선을 끌었다. 하지만 그녀의 역할은 아나운서 이상도 이하도 아니었다. 방송 내내 대본을 그대로 읽는 아나운서로서의 모습만 보여줄 뿐, 단 한 번도 그녀의 체취가 묻어나는 멘트나 인간적인 매력을 표출하지 않았다. 그래서였을까? 그 프로그램은 흥미성이나 극적 긴장감이 크게 떨어지고 말았다.

이런 점에서 김성주의 아나테이너 보이스는 여러 예능 프로그램을 빛나게 하고 있다. 그의 목소리는 아나운서처럼 차분함을 잃지 않으면서도 예능인처럼 콧소리를 자주 섞는다. 현재 그는 〈복면가왕〉에서도 중심을 잃지 않고 진행을 하며 애드리브를 날리고 그때마다 끼를 보여준다. 그의 애드리브와 예능적인 목소리에는 과장됨이 없고 꾸밈이 없다. 그래서 게스트로부터 자연스럽게 웃음 폭탄이 터진다.

그가 프리를 선언하고 본격적으로 아나테이너의 길로 걸어가게 된 이유는 그에게 잠재된 끼 때문이다. 그는 손석희 아나운서를 대신해 시사 프로 진행을 맡았으나 금방 하차한 적이 있다. 당시의 일을 두고 김성주는 "논설위원과 전두환 전 대통령에 관련한 이야기를 하던 중 예능적 끼를 주체하지 못하고 전두환 전 대통령 성대모사를 하고 말았다. 그 이후 시사 프로그램과는 멀어졌다"고 밝혔다.

좋은 목소리는 ●
타고 나는 것이 아니다 ,

전현무 또한 아나테이너의 보이스를 자랑한다. 그는 김성주 이상으로 깐죽대는 이미지를 보이면서 유감없이 예능 감각을 드러낸다. 그는 낮은 울림 목소리와 높은 비강 목소리를 자유자재로 넘나들면서 말재간을 부린다. 애드리브가 지나친 경우가 더러 있어서 한때는 비호감으로 낙인찍히기도 했지만 요즘은 누구에게나 사랑받고 있다. 그는 진행력을 80퍼센트, 깐죽대는 이미지를 20퍼센트에 둔다고 한다. 그의 예능 감각은 타고난 것이 아니라 노력에 의해 개발되었다. 그는 이렇게 말한다.

"난 노력형이다. 노력으로 이 정도까지 왔지만 분명히 노력으로 안 되는 게 있다. 은지원, 김종민, 탁재훈 같은 사람들은 천부적인 감이 있다. 노력으로 쉽게 따라잡을 수 있는 게 아니다. 워낙 자유롭고, 일반 사람들에겐 찾아보기 힘든 창의력과 장난기가 있어서 함께 녹화하다 보면 '어떻게 저런 얘기를 하지?'란 생각이 들곤 한다."

이외에도 여자 아나테이너로 오정연과 최은경 등을 들 수 있다. 요즘은 아나운서에게 언론인으로서의 역할과 함께 방송인의 자질도 요구하고 있다. 아나운서라는 브랜드와 언론 보도라는 딱딱한 이미지만으로는 활동 무대가 좁다. 그래서 수없이 많은 아나테이너가 배출되고 있다. 또한 근래 아나운서 지망생들은 시작부터 아나테이너를 꿈꾸는 경우가 많다.

⇟아나테이너의 목소리는 치어리더

그렇다면 아나테이너의 보이스에 요구되는 자질은 무엇일까? 세 가지가 필수적이다. 우선 똑 부러지는 정확한 말투다. 이는 아나운서의 기본이라 할 수 있다. 아나운서가 되기 위해 보이스 트레이닝을 받을 때 누구나 기본적으로 습득해야 하는 것이다. 아나운서 지망생들은 이런 말투를 위해 볼펜을 입에 물고 발음을 연습한다. 볼펜이나 연필을 앞니로 가볍게 물고 혀가 움직일 공간을 확보한 후 또박또박 소리 내는 훈련을 하면 된다. 이때 이런 소리를 따라 연습하면 매우 효과적이다.

아야어여오요우유으이
가나다라마바사아자차카타파하
강낭당랑망방상앙장창캉탕팡항
각낙닥락막박삭악작착칵탁팍학
기니디리미비시이지치키티피히

다음은 높은 톤의 비강 보이스다. 높은 톤의 콧소리는 흥을 돋거나, 경쾌하고 활발한 분위기를 연출하기에 적합하다. 뉴스와 달리 예능

좋은 목소리는 ●
타고 나는 것이 아니다 ▮

프로에서는 특히 비강 소리를 많이 내야 게스트의 호응도를 높일 수 있다. 비강 음을 잘 내기 위해서는 우선 해당 조음 기관을 활성화시키는 소리를 알아야 한다. '홍콩송' 같은 소리를 자주 말하면 비강 소리에 도움된다.

입술을 움직이는 소리: 마바파 마바파 마바파 마바파

턱을 움직이는 소리: 타나다 타나다 타나다 타나다

혀를 움직이는 소리: 라리루 라리루 라리루 라리루

코를 울리는 소리: 홍콩송 홍콩송 홍콩송 홍콩송

마지막으로 리드미컬한 보이스다. 예능 프로에서는 마치 파도를 타듯이 때에 따라 느렸다가 빨랐다가, 높았다가 낮았다가 하는 리듬을 잘 살려야 한다. 그래야 생동감이 넘쳐난다. 차분하게 오프닝을 할 때는 느리면서도 낮은 톤으로, 역동적인 장면이 나올 때는 큰 목소리로 빠르고 변화무쌍하게 연출해야 한다. 아나테이너는 목소리로 게스트를 흥분하게 만드는 치어리더나 마찬가지다.

깨방정 입담의 개그 MC
- 유재석 · 김구라

⇌ 잘 듣지 않으면 잘 말할 수 없다

"1박 2일!"

"무한도전!"

일요일 오후가 되면 안방에 울려 퍼졌던 방송 멘트다. 평균치를 밑도는 못난이들이 좌충우돌 펼치는 미션 수행에 시청자들은 울고 웃는다. 이 오프닝 멘트를 다시 한 번 떠올려보자. '1'에 포인트를 주고 '박 2일'을 잇는다. 또한 '무'에 포인트를 주고 '한도전'을 잇는다. 들어보면 알겠지만, 사소한 말 한 마디에서도 다른 방송 분야와는 다른 예능 프로만의 특징이 드러난다. 바로 목소리에 넘치는 활기다.

예능 프로의 개그맨 MC는 마치 장구를 치듯이 말한다. 쿵다다 쿵다다 쿵쿵 하고 강약을 잘 조절한다. 언제라도 한 박자로 밋밋하게 이어지는 경우가 없다. 그러면 심심해지고 몰입도가 떨어지기 때문이다. 시도 때도 없이 음성을 높였다가 내리기를 반복해야 한다. 이렇게 목소리의 강약 조절이 잘될 때 개그맨 특유의 깨방정 유머가 살아난다. 〈무한도전〉에서 MC 유재석은 자신이 개그를 시작하게 된 계기에 대해 이렇게 말했다.

"간단하게 이야기하면, 제 학창 시절을 돌아볼 때 정말 친구들을 즐겁게 해주려고 많이 노력했습니다. 친구들이 웃는 게 너무 좋았기 때문에 그들을 웃기기 위해서 많은 노력을 했고… 사실 그러기 위해 수업에서도 아는 대답을 틀리게 말해서 친구들이 웃으면 그렇게 좋았고요…."

유느님이라는 별칭으로도 불리는 그는 오랜 무명기를 극복해내고 국민적 개그 MC로 등극했다. 그는 1991년에 개그맨으로 데뷔했지만 90년대 후반까지 삼류 개그맨에 불과했다. 그런 그가 2003년 MBC 방송연예대상에서 쇼버라이어티 부문 최우수상을 수상하는 것으로 시작해 지금은 명실상부 최고의 MC가 되었다.

그는 착하고 부드러운 이미지를 가졌지만 때로는 왕창 망가질 줄도 아는 사람이다. 이런 이중적인 이미지는 개그 MC에 최적이다. 모범생 같은 그의 이미지는 차분하게 진행해야 하는 MC의 본분과 잘 맞아떨어진다. 한편 웃음거리가 되기를 두려워하지 않는 모습으로 그는 개그맨으로서의 재능을 유감없이 보여준다. 그래서 그는 개그 MC의 왕으로 올라 〈무한도전〉은 물론 〈해피투게더〉, 〈런닝맨〉, 〈동상이몽〉 등 여러 인기 프로를 잘 진행해내고 있다. 그가 출연하는 여러 프로를 보면, 진행자로서 유재석의 특징이 드러난다. 배려와 경청이다. 그는 결코 자기 혼자 무대를 장악하거나 마이크를 독점하지 않는다. 오히려 그 반대다. 그는 게스트와 패널에게 더 많이 말할 기회를 주고, 자신은 기꺼이 듣는다. 왜 경청에 더 관심을 기울일까? 그는 이렇게 말한다.

"그 사람이 나를 좋아하길 바란다면 그 사람의 마음이 무엇인지, 그 사람이 원하는 게 무엇인지를 자꾸 들으려고 해야 돼요. 그러면 그 사람이 어떻게 안 좋아할 수 있겠어요."

⇒ 타고난 말재주도 목소리도 중요하지 않다

김구라 또한 개그 MC의 대표 주자다. 현재 그는 〈라디오 스타〉,

〈복면가왕〉, 〈마이 리틀 텔레비전〉, 〈동상이몽〉, 〈썰전〉 등에서 유감없이 '썰'을 풀어내고 있다. 사실 그는 개그맨으로서 특별히 뛰어난 끼를 가지고 있지 못하다. 다른 개그맨을 생각할 때면 저절로 그의 장기가 떠오르는데, 김구라에게는 이런 것이 전무하다. 그런 그가 어떻게 개그 MC로 우뚝 설 수 있었을까? 이에 대한 흥미로운 이야기가 있다. 탁재훈이 그에게 말했다.

"구라야, 너처럼 재주도 없고 뭐 하나 제대로 할 줄 아는 게 없는 애가 어떻게 그렇게 방송을 많이 하니?"

김구라가 망설이지 않고 말했다.

"딱 맞는 말이야. 나는 성대모사도 못하고, 춤이면 춤 노래면 노래 뭣하나 잘하는 게 없어. 한 마디로 끼가 없다는 말이지."

탁재훈이 동그랗게 눈을 뜨고 그를 바라보았다. 김구라의 공황장애가 덧나지 않았나 하는 걱정이 들었다. 이를 아는 듯 모르는 듯 김구라가 천천히 입을 열었다.

"하지만 내게 한 가지가 있어. 투수에게는 제구력이 중요하지만 스피드도 중요해. 이처럼 내게는 '빠른 눈치'가 있어. 그래서 내가 방송밥을 먹으며 살 수 있는 거라고."

그렇다. 김구라에게는 눈치가 있다. 그는 눈치 100단의 실력자다. 가히 다른 개그 MC 이상이다. 그래서 그가 진행하는 프로를 보면 순간순간 재치 넘치는 애드리브를 만날 수 있다. 그가 개그 MC의 선두 주자로 설 수 있는 것은 독설을 순발력 있게 폭포수처럼 쏟아낼 수 있는 눈치덕분이다.

비호감에서 호감으로 이미지를 바꾼 김구라의 독설은 사실 '직설'에 가깝다. 남의 시선을 의식하며 있는 척하고 자신의 본모습을 숨기려 하는 사람이 나타날 때면 김구라는 아픈 곳, 감추려고 하는 곳을 사정없이 까발린다. 이렇게 해서 진행자와 게스트가 마치 발가벗고 한증막에 앉아있는 듯한 분위기가 형성되면 가릴 것 없이 편안한 상태로 대화를 주고받을 수 있게 된다. 그래서 김구라의 방송을 보면 어딘가 모르게 막힌 데가 뚫린 듯 후련해지는 기분이 든다.

김구라 역시 특유의 독설을 퍼부을 때 북 치듯 강약을 능숙히 조절한다. 강조할 때는 악센트를 주다가도 평범한 말을 할 때는 보통 세기로 이야기한다. 김구라의 입은 드럼과 같다. 정신없이 강한 비트를 쏟아내는 드럼 소리가 듣는 이의 스트레스를 한 방에 날려버린다.

개그맨이 되기 위해서, 전문 MC가 되기 위해서는 특별히 발성 훈련을 받아야 한다. 이를 바탕으로 유재석이나 김구라와 같은 개그 MC의 길을 걸어갈 수 있다. 목소리가 좋지 않아 고민하는 이가 있다면 김구라의 조언에 희망을 얻을 수 있다. 그는 〈웃겨야 성공한다〉에서 보이스가 절대적이지 않다고 말한다.

"이런 콤플렉스도 노력에 따라서는 극복할 수 있다. 1998년에 개그맨 박경림 씨가 데뷔할 때, 그 목소리를 듣고 누가 그가 MC로 성공할 줄 알았나. 사실 목소리도 정드는 법이다. 미운 목소리도 자꾸 듣다보면 정든다. 그렇다면 정을 붙이게 만드는 노력이 필요한 거다. 자꾸 말하고, 오히려 적극적으로 말하는 게 더 낫다."

꾸미지 말고, 본능적으로
–정윤정 · 이민웅

⌒평소에 쓰는 단어가 와 닿는 법이다

"진심으로, 그리고 쉽게 이야기하는 것, 그게 제일 중요해요. '와, 너무 예뻐요!' '맞아요, 이거 완전 갖고 싶어요, 언니!' 이렇게 말하는 게 통한다니까요. 그게 인간 본능이에요. 음식점 추천할 때 맛이 이렇고 저렇고 말하나요? 그냥 끝내줘, 완전 죽여, 미쳐, 이렇게 말하지 않나요?"

1분에 1억을 파는 쇼핑호스트 정윤정의 말이다. 그녀는 자신의 판매 비결을 진심을 담아 쉽게 말하는 것이라고 설명한다. 그녀는 2011

좋은 목소리는 ●
타고 나는 것이 아니다 ₉

년에 100억 원, 2012년에 1천600억 원, 2013년에 2천400억 원의 판매를 기록한 '매진의 여왕'이다. 더욱이 2015년에는 그녀의 이름을 내건 롯데홈쇼핑의 패션 프로그램 〈정쇼〉에서 210분 동안 90억 원의 판매고를 기록하는 전무후무한 업적 달성에 성공했다. 이 기록은 토요일 밤, 모든 홈쇼핑사가 치열하게 각축을 벌이는 그 시간대에 나왔다는 점에서 정말로 대단하다. 쟁쟁한 경쟁사를 따돌리고 30억 원대이던 평소의 판매 수익을 보란 듯이 3배로 돌파했다.

그녀가 홈쇼핑에서 하이톤으로 감칠 맛나게 말하는 모습을 보면 정말 감탄이 나온다. 상품을 파는 것이 아니라 조곤조곤 정겹게 이야기를 전달하는 듯하다. 원래 그녀의 보이스는 저음이었다. 그녀는 연극과를 졸업한 후 생계를 위해 방송 리포터로 일했다. 하지만 좋은 인상과 연기 수업에서 다져진 발성에도 불구하고 8번이나 NG를 낸 끝에 첫날 그만둬야 했다.

이런 아픔을 겪은 후, 쇼핑호스트의 길로 들어선 그녀는 발성과 발음 연습을 처음부터 다시 시작했다. 거울을 보면서 '아에이오우'를 연습하며 목소리 톤을 높여나갔다. 이와 함께 외래어 브랜드가 많은 업무 특성상 정확한 발음을 내기 위해 펜을 물고 훈련했다. 이렇게 하면서 안 쓰는 얼굴 근육을 많이 사용했다. 꾸준히 트레이닝한 결과 지금의 보이스가 탄생했다.

그녀가 내뱉는 말의 특징은 주부의 감성을 잘 터치하는 데 있다. 그녀는 쇼핑호스트라는 이미지를 벗어버린 채 마치 반상회에 참가한 한 명의 주부처럼 말한다. 말이 어렵지 않다. 일상적 대화 투의 표현을 하이톤에 싣는다. 그녀에게 빠질 수 없는 무기가 또 있다. 편하게 수다 떨다가 말하는 듯한 주부 리액션이다.

"대단하죠?"
"웬일이니?"
"헐!"

이와 함께 다다다 말을 쏘지 않고 쉬는 타이밍을 잘 활용하면서 완급을 조절한다. 말을 많이 한다고 해서 좋은 것이 아니다. 말과 말 사이에 휴식을 줌으로써 시청자들이 더 몰입하게 해야 한다. 그녀의 말은 자연스럽게 주부의 감성을 건드린다. 고객은 마음의 빗장을 풀고 기꺼이 지갑을 열게 된다. 그녀는 말 잘하는 비결에 대해 이렇게 이야기한다.

"말을 잘하는 사람은 말을 쉽게 하는 사람이다. 쉬운 말에는 어려운 단어나 표현이 쓰이지 않는다. 말을 잘하는 사람이 글만 쓰면 어려워

좋은 목소리는 ●
타고 나는 것이 아니다 ,

지는 것은 멋있는 단어를 애써 찾기 때문이다. 낯선 단어를 쓸 확률이 높아진다. 흔히 쓰이는 평범한 단어, 우리가 늘 겪는 단순한 사례로 이뤄진 글이 마음에 빨리 닿는다. 말 또한 그렇다. 거기에 감각적인 단어, 감각적인 사례가 쓰인다면 더할 나위가 없을 것이다. 쉽게, 빠르게, 재밌게, 러블리하게, 달콤하게, 새콤하게, 죽이게!"

⇒ 억지로 설득하려고 하지 말라

남성 쇼핑호스트 이민웅은 말로 여성의 감성을 잘 터치한다. 그는 단 1시간에 30억 원대의 매출을 올리는 미다스의 손이다. 그는 착한 남자의 이미지를 내세워 여성 고객과 공감하는 것으로 유명하다. 이 때문에 그는 여성 패션은 물론 여성 속옷과 여성 미용품 홈쇼핑 방송에도 출연한다. 특유의 부드럽고 젠틀한 말투에 여성 고객은 속수무책으로 빨려 들어가고 만다.

그의 말에는 억지로 상품을 파는 듯한 뉘앙스가 전혀 풍기지 않는다. 그는 한 방송에서 블라우스를 흔들며 "태극기 힘차게 날려라"라고 외치고, 개그 멘트를 던져 상대 쇼핑호스트를 진행 불가의 상태까지 몰아가기도 했다. 그는 자신과 시청자가 함께 즐기는 것을 우선으로 한다. 그는 자신의 말하기에 대해 이렇게 생각한다.

"멘트를 할 때도 '상대방을 설득해야지'라고 생각하지는 않아요. 관
심 없는 사람들에게 억지로 판다는 느낌보다는 재미를 주려고 하고,
장점에 대해서 신나고 기발하게 얘기를 하다 보면 보시는 분들도 즐
거워하시고, 즐거운 만큼 또 많이 구매하시더라고요. 저는 억지로 '이
거 좋아요, 사세요'라고 하지는 않아요."

관심이 없는데 자꾸 상품을 사라고 하면 시청자는 채널을 돌려버
린다. 따라서 그는 관심이 있는 사람이나 없는 사람이나 모두 함께 즐
기는 시간을 만드는 데 우선순위를 둔다. 그러나 즐거움과 재미를 통
해 여성의 섬세한 감성을 잘 건드려 저절로 지갑을 열도록 마술을 부
린다. 여성의 감성을 잘 캐치하는 그의 대표적인 멘트는 이렇다. 드라
마 〈뻐꾸기 둥지〉가 끝나는 시간이면 그는 이렇게 말한다.

"장서희 씨 연기 되게 잘하죠? 저도 저 사람이면 뺨 때립니다."

쇼핑호스트는 물론 고객을 상대하는 비즈니스맨이라면 감성 터치
는 선택이 아닌 필수다. 상품, 보험, 자동차 등 세일즈의 분야는 넓고
그만큼 기법도 다양하다. 그러나 고객에게 호소하는 보이스는 하나라
는 점을 기억하자. 섬세한 감성 터치의 보이스 말이다.

264

냉철하고 이성적인 말의 힘
-손석희 · 김주하

⇒송곳 같은 질문과 중립적 태도

"마이니치신문이 보도한 지도, 이것이 일개 신문사의 보도일 뿐이라고 말했으나 이 지도가 실린 책은 '대일평화조약'이라는 책자로 여기에는 상세한 지도와 함께 '1946년 1월 29일자 연합국 총사령부 명령에 의해서 독도에 대한 일본의 행정권이 정지됐다'라는 설명이 실려 있습니다."

2005년 MBC 〈손석희의 시선집중〉에서 독도를 자기네 땅이라고 우기는 일본 시마네현 조다이 의원에게 손석희 앵커가 한 말이다. 조다이 의원은 '다케시마의 날'을 제정하는 조례안을 제출해 파문을 일으킨 장본인이었다. 그가 손석희 앵커와의 전화 인터뷰에서 억지 주장을 펴자, 손석희 앵커가 그의 논리상 허점을 조목조목 공격했다. 손석희 앵커는 한국의 자료를 내세우는 것은 물론 일본 측의 자료를 근거로 독도가 한국 땅임을 역설했다. 결정적으로 손석희 앵커는 일본 측의 급소에 한 방을 날렸다.

"또 일본 근대 지도하고 지적도를 편제할 때 일본 중앙정부가 시마네현에 '이 독도가 시마네현에 포함되느냐'라는 질의를 5개월 동안 조사한 뒤, 내무대신하고 태정관이 '울릉도하고 독도는 일본과 관계없는 땅이다'라는 결정을 1877년 3월 17일 자로 시마네현에 보낸 공문서가 공문록에 보존이 돼 있습니다."

손석희 앵커는 특유의 세련된 어조로 근대 일본 정부의 공식적인 기록을 들춰내어, 조다이 의원을 궁지로 몰아넣었다. 그러자 당황한 기색이 역력한 조다이 의원은 '이런 논쟁은 정부 간에 할 얘기'라면서 시간이 없다며 서둘러 인터뷰를 끝냈다.

그의 차가우면서도 날카로운 보이스가 진가를 드러낸 인터뷰는 수

좋은 목소리는
타고 나는 것이 아니다 ,

도 없이 많다. 한국의 개고기 식용 문화를 비판한 프랑스 여배우 브리지트 바르도와의 인터뷰, 방송 도중 손석희 앵커에게 시장 선거에 나가지 않겠다는 맹세를 요청했던 한나라당 홍준표 의원과의 인터뷰, 2004년 총선 직전 한나라당 박근혜 대표가 '저랑 지금 싸움하시자는 거예요'라며 신경전을 벌였던 인터뷰 등 이루 헤아릴 수 없다. 하나같이 그의 치밀한 논리가 빛나는 인터뷰였다. 이런 그였기에 그는 MBC〈100분 토론〉에서 어느 한쪽에 치우치지 않으며 논제를 정리하는 깔끔한 진행 솜씨를 발휘했다.

아나운서들이 꼽은 가장 말을 잘하는 아나운서 손석희. 그는 냉철함과 이성적인 면이 두드러진다. 그는 긴 시간 장광설을 늘어놓지 않는다. 진행자가 게스트 앞에서 마이크 욕심을 내는 것은 보기 좋은 일이 아니다. 그의 무기는 송곳 같은 질문과 중립적 태도다.

그는 적절한 타이밍에 날카로운 질문을 던져 상대가 우물 안에 갇힌 쥐처럼 오도 가도 못하게 만들곤 한다. 상대는 더 이상 논쟁을 벌일 의욕을 잃고 만다. 그의 수많은 인터뷰가 이를 잘 보여주었다. 송곳 같은 그의 질문은 기본적으로 방대한 자료 섭렵을 바탕으로 한 치밀한 논리에서 나온다.

로버트 마이어*Robert Mayer*의 《현명한 사람의 논쟁법*How To Win Any Argument*》

또한 질문의 중요성을 역설하면서 돌벽 같은 상대를 뚫기 위해서는 질문을 던지라고 한다.

> "상대를 움직이는 대화의 요령은, 생각해야만 하는 질문을 던져서 그
> 들이 대답하는 동안 처음에는 말하지 않으려 했던 걱정이나 생각까
> 지 내비치게 만드는 것이다. 단순히 머리를 젓거나 '네', '아니오'라는
> 단답형으로 대답할 수 없는 질문이다."

이와 함께 그에게서는 중립적인 태도가 돋보인다. 그는 특정 정당을 지지하는 발언을 하지 않는다. 정치에 발을 디디지도 않았다. 항상 중도에서 다양한 입장의 장점과 단점을 꼼꼼하게 분석한다. 엄격하게 중립을 지키기 위한 그의 행동은 상상을 초월한다. 그는 개인적인 친분이 쌓이면 공정한 방송에 지장을 초래할 가능성이 있다는 이유로 출연자의 식사 요청을 거절한다. 초지일관 중립을 위해 불필요한 인간관계를 삼가고 있다. 그의 목소리는 동안인 그의 얼굴처럼 깨끗하다. 하지만 그 목소리는 허투루 남발하는 말을 한 마디도 용납하지 않는다. 그 대신 중립의 입장에서 던지는 뾰족한 질문을 잘 실어 나른다. 적지에서 정확하게 포탄을 터뜨리는 폭격기가 불필요한 비행을 하지 않듯이 말이다. 그래서 그의 목소리는 냉철하고 이성적인 이미지를 가득 품고 있다.

좋은 목소리는 ●
타고 나는 것이 아니다 ⁹

⇗약점을 매력으로 승화시키다

"나를 키운 건 8할이 손석희라는 악몽이었다"라고 말한 김주하 앵커 역시 마찬가지다. 보통 여성 앵커는 남성을 보조해주는 인상으로 비쳤는데 반해 그녀는 중저음을 바탕으로 등장한 독립적인 존재였다. 더욱이 그녀는 남성처럼 깃이 있는 재킷을 입고 활달한 짧은 커트 머리로 무장했다. 그녀는 다른 여성 앵커와 달리 중성적인 이미지로 차별화해 승승장구했다. 그녀의 보이스는 남성처럼 냉철하고 이성적인 인상을 준다. 이런 멘트들이 이를 잘 뒷받침한다.

"옆집 아이가 다쳤을 때는 위문이다 약이다 챙겨주면서 정작 우리아이가 다쳤을 때는 나 몰라라 하는 부모 어떠세요? 일본 지진 피해에 생수다 생식품이다 보내주면서 4일째 물이 나오지 않는 구미시민들은 정부에 대해서 어떤 생각을 하고 있을지 궁금합니다."

- 2011년 MBC 〈마감뉴스〉에서

"아나운서를 하려면 모든 걸 다 줄 준비가 돼있어야 한다고 하셨는데, 저도 그렇게 보이시나요?"

- 2015년 MBN 〈뉴스 8〉 강용석 의원과의 인터뷰 중에서

그녀를 보고 한눈에 재목임을 알아차린 이선미 스피치랩 대표 또한 그녀의 중성적 이미지와 매력적인 중저음에 주목했다.

"김주하 앵커의 한계는 바로 중저음의 굵은 목소리에 있었죠. 뉴스 리포팅은 무척 잘했어요. 그런데 교양 프로그램의 MC나 라디오 DJ, 쇼 프로그램의 리포터 등은 너무 안 어울리는 거예요. 뉴스 앵커처럼 해버리니까 뭘 해도 뉴스 같았어요."

이처럼 중저음의 목소리는 그녀에게 약점으로 작용할 수도 있었다. 하지만 그녀는 중저음을 카리스마 넘치는 중성적 개성으로 승화시켰다. 그래서 수많은 매혹적인 여성 아나운서들 속에서 독보적인 위치를 차지하게 되었다. 남성 팬은 물론 여성 팬까지 아우르고 있는 그녀는 여대생이 롤모델로 삼는 여성 아나운서 1위로 우뚝 섰다.

스타 아나운서들은 저마다 개성 있는 목소리를 자랑하고 있다. 하지만 아나운서 지망생의 롤모델하면 손석희, 김주하라는 데 이견이 없다. 따라서 아나운서로 대성하고자 하는 이라면 냉철하고 이성적인 보이스를 잘 연마해야 한다.

부드럽게 어루만지는 소리
– 이금희 · 성시경

⇝ 우리 곁을 20년 동안 지켜온 목소리

"안녕하세요. KBS 쿨 FM '사랑하기 좋은 날' 이금희입니다. 저의 프로그램은 지친 하루를 정리하고 싶을 때 편안한 음악으로 쉬어가기도 하고요, '이제부터 내시간이다' 싶을 때 새로운 활력을 얻어가기도 하고요, 무엇보다 사랑과 음악이 있고 추억이 있는 시간입니다."

매일 저녁 라디오에서 들려오는 따뜻한 목소리다. 이 방송에서 이금희는 이웃집 누나처럼 포근하면서도 정감 있는 목소리로 청취자의 애틋한 사연을 들려준다. 그녀의 목소리는 특정 청취자에게만 어필하는 것이 아니라 남녀노소 모든 청취자를 사로잡는다. 특별히 자기 색깔을 도드라지게 표출하지 않으면서 소소한 삶의 이야기를 잔잔하게 들려준다. 이런 멘트를 전할 때 그녀의 진가가 드러난다. 그녀의 목소리가 행복의 따뜻함을 잘 전달해주는 듯하다.

다른 사람이 발견해 알려주는 행복은

아무 의미가 없다.

내 행복은 내가 발견해야 한다.

행복은 생각보다 많다.

그리고 우리에겐

행복을 발견해낼 '의무'가 있다.

이러한 목소리를 장기로 가진 그녀는 1998년 〈이금희의 가요산책〉을 진행하기 시작했고, 이 방송은 〈사랑하기 좋은 날 이금희입니다〉로 이름을 바꾸며 지금까지 20여 년 동안 꾸준히 이어지고 있다. 그만큼 청취자는 이금희의 목소리를 사랑한다. 진행자의 목소리가 아무리 좋다고 해도 유별나게 튀면 청취자는 쉽게 식상해하기 마련이다. 이금희의 목소리는 어느 한때 큰 인기를 누리지 않는 대신 세월이 가도 색이 바라지 않는 긴 생명력을 가지고 있다.

그녀가 25년여 동안 〈아침마당〉을 이끌 수 있었던 이유도 마찬가지다. 튀지 않는 푸근한 감성적 목소리로 출연자와 가슴이 통하는 진행을 하기 때문이다. 그녀는 열 마디 말을 하기 보다는 한 번의 질문과 '네'하는 대답으로 출연자가 허심탄회하게 입을 열도록 한다. 출연자는 그녀를 바라보면서 부담과 긴장이 온데간데없이 사라지는 것을 느낀다. 이렇게 해서 출연자는 물론 전국 시청자와의 공감을 이끌어낸다. 그녀는 자신의 책 〈나는 튀고 싶지 않다〉에서 말했다.

"MC는, DJ는 스스로 주인공이 되어서는 안 된다. 자기 이름을 걸고 진행하는 프로그램이라 하더라도 마찬가지다. 프로그램에서 주인공은 어디까지나 출연자다. 시청자는, 청취자는 출연자의 이야기와 사연을 궁금해하는 것이지 그 프로그램 MC의 진행 솜씨를 궁금해하지 않는다."

이렇듯 그녀가 적은 수의 말로 상대방과의 공감을 최고치로 이끌수 있는 것은 따뜻하고 감성적인 목소리 덕택이다. 그 목소리를 몇 마디만 들으면 누구나 절로 고개를 끄덕이게 되고, 마음의 위안을 얻게 되기 때문이다.

바이올린을 켜듯 달콤한 말

"잘 자요."

일명 수면유도제 멘트로 유명한 성시경 또한 따뜻한 감성 보이스의 소유자다. 그는 감미로운 중저음 목소리로 마치 발라드를 부르듯 상대방을 사로잡는다. 귀가 예민한 여성 청취자는 매일 밤 그의 '잘 자요'라는 멘트로 가슴을 설레었다. 그가 괜히 발라드의 황제로 불리는 게 아니다.

최근 한 설문 조사에서도 그의 목소리가 인정받았다. 그는 나긋한 목소리로 책을 읽어줬으면 하는 남자 연예인 1위에 뽑혔다. 이선균, 조승우, 김수현을 제쳤다. 그래서일까? 그가 꿀처럼 달달한 목소리로 읊조렸던 라디오 코너 '사랑을 말하다'는 지금까지 많이 회자되고 있다.

그녀가 내 팔에 매달렸는지

내가 그녀의 웃음에 업혀가는지

우리는 오랫동안 메뉴도 정하지 않은 채

점점 어두워지는 길거리를

천천히 걷고 있네요.

길은 걷다 말고 떨어진 낙엽을 주워서

시집에 끼우겠다는

그녀의 어이없는 낭만 같은 거,

내 어깨에 뭉친 피로를

한 방에 날려버리는

그녀의 앵앵앵 잔소리 같은 거,

내 고단한 가을 속에 보석 같은 거.

고맙습니다, 그대

그저 함께 있어주는 것만으로도.

이금희와 성시경의 따뜻한 감성 보이스를 벤치마킹하려면 어떻게 해야 할까? 우선 눈과 입을 함께 웃으면서 책 읽는 훈련을 해야 한다. 말을 하면서 자연스럽게 얼굴에 미소가 번질 수 있어야 한다. 더 나아가 말에도 훈훈함이 깃들 수 있어야 한다. 다음으로, 부드럽게 발음해야 한다. 정확한 의미 전달을 위해 한 음 한 음을 세게 발음하다보면 딱딱하게 비칠 수 있다. 말하는 소리가 바이올린 선율처럼 물 흐르듯이 나와야 한다. 이 두 가지를 갖추면 상대방의 얼음처럼 굳은 가슴도 스르르 녹일 수 있는 목소리를 낼 수 있다.

1등의 대화습관

초판 1쇄 발행 · 2022년 7월 29일

지은이 · 오수향
펴낸이 · 김동하

편집 · 이은솔
펴낸곳 · 책들의정원
출판신고 · 2015년 1월 14일 제2016-000120호
주소 · (03955) 서울시 마포구 방울내로7길 8, 반석빌딩 5층
문의 · (070) 7853-8600
팩스 · (02) 6020-8601
이메일 · books-garden1@naver.com
인스타그램 · www.instagram.com/text_addicted

ISBN 979-11-6416-121-8 (03320)